THE BUMPER
CROSSWORD
COLLECTION

hinkler

Published by Hinkler Books Pty Ltd 2020
45–55 Fairchild Street
Heatherton Victoria 3202 Australia
www.hinkler.com

Puzzles © Any Puzzle Media 2019
Design © Hinker Books Pty Ltd 2019

ISBN: 9781488919312

Printed and bound in China

If you're not familiar with crossword puzzles, here are some tips for how to solve them.

The goal is to solve the clues and write the answers, letter by letter, into the blank spaces in the grid. The numbered clues will direct you to fill in the answers both across and down the grid. Fill in the obvious answers first and then look again at the puzzle clues – there may be an easy answer you didn't notice or one that's easier now because some letters have been filled in.

The numbers in parentheses after each clue reveal the number of letters in each answer, matching the number of spaces in the grid. Multiple numbers separated with a comma indicate multiple words; numbers separated with a hyphen indicate hyphenated words.

Clues ending in '(abbr.)' indicate that the solution is an abbreviation, while clues ending in '(init.)' indicate that the solution is a set of initials.

Don't forget little tricks like checking whether an 's' in the last position works for plural clues and 'ed' has been used for past-tense clues. Keep working through the list of clues and, if you're stumped, try again later! Sometimes you just need a break for your brain to retrieve the answer.

Happy solving!

Crossword 1

¹G	E	²N	E	³R	A	⁴T	I	⁵O	⁶N	S
O	■	■	■	D	■	A	■	R	■	S
⁷T	O	O	L	B	A	R	■	⁸E	S	P
U	■	■	■	E	■	I	■	G	■	■
⁹T	E	¹⁰A	L	■	¹¹	F	A	N		
H	■	R	■	¹²		F	N	N		
¹³E		T			■	¹⁴P	O	L	L	
D	■	L	■		¹⁵S	■				
¹⁶O	R	C	■	¹⁷		L	■	¹⁸G		
G	■	L	■			I	■	A		
¹⁹S	T	E	R	E	O	T	Y	P	E	S

Across
1 The seventh outing in the *Star Trek* film series (11)
7 Row of on-screen buttons (7)
8 Clairvoyant's skill (init.) (3)
9 Small freshwater duck (4)
11 Business; activity (6)
13 Proceeds to a room, perhaps (6)
14 Opinion survey (4)
16 Mythical monster (3)
17 At a brisk speed, in music (7)
19 Clichés about people (11)

Down
1 Become run-down (2,2,3,4)
2 Non-profit campaign group (init.) (3)
3 Cloak (4)
4 Import duty (6)
5 Aromatic culinary herb (7)
6 Unnecessary to requirements (11)
10 Magazine feature (7)
12 Mysterious (6)
15 Narrow opening (4)
18 Space between two things (3)

Crossword 2

Across
1 Printed work (11)
7 Czech capital (6)
8 Lots (4)
9 Long-legged wading bird (5)
11 Imperfections (5)
13 Unable to proceed (5)
14 Anthems (5)
16 'Stop right away!' (4)
18 Table handkerchief (6)
20 Nomenclature (11)

Down
2 Vertically stringed piano (7)
3 Captain's journal (3)
4 Singer once married to Sonny Bono (4)
5 Entirely (7)
6 Have (3)
10 Shout out (7)
12 Coming first (7)
15 Party to (2,2)
17 Tool used for removing weeds (3)
19 Chum (3)

Crossword 3

Across

7 Creative (11)
8 Trellis (7)
9 Forbid something (3)
10 Artist's support (5)
12 Song of triumph (5)
13 Probable touchdown info (init.) (3)
14 Wrinkle without moisture (7)
16 Logical equivalences (11)

Down

1 Athletic throwing and jumping sports (5,6)
2 Way of walking (4)
3 Disenchant (11)
4 Store vendor (11)
5 Able to move quickly (6)
6 Insignificant (11)
11 Cast figure (6)
15 Blood vessel (4)

Crossword 4

Across

1 Lack of knowledge (9)
7 Exceed (5)
8 Go and fetch (5)
10 Rescue (4)
11 Womb resident (6)
14 William the Conqueror, eg (6)
15 Without accreditation (abbr.) (4)
17 Metalworker (5)
19 Municipalities (5)
20 Citrus fruit preserve (9)

Down

2 Recover from (3,4)
3 Musical instrument (4)
4 Photo collections (6)
5 Chinese life force (3)
6 Gives permission (8)
9 Virtue (8)
12 Rejuvenated (7)
13 Chaotic disorder (6)
16 Web page format (init.) (4)
18 All __ _ day's work (2,1)

Crossword 5

Across
1 Arranged (9)
8 Makes (5)
9 Off the cuff (2,3)
10 Short-sleeved informal top (1-5)
12 'Using the same reference' (abbr.) (4)
14 Milky-white gem (4)
15 Underside (6)
17 Besmirch (5)
18 Poetic (5)
20 Globally (9)

Down
2 Input text scan (init.) (3)
3 Great unhappiness (6)
4 Animal-catching device (4)
5 Display (7)
6 Roof apartment (9)
7 Professors (9)
11 Dismissal (5-2)
13 Track (6)
16 Verbal (4)
19 Opposite of green? (3)

Crossword 6

Across
1 Blind alley (4,3)
5 Small brooch (3)
7 Blood flow (11)
8 Heavy, spiked club (4)
10 Dusk (6)
12 Sounds (6)
13 Atoll (4)
15 Accept (11)
17 So far (3)
18 Admit to (7)

Down
1 Factual TV show (11)
2 Annual interest rate (init.) (3)
3 Fast-running Australian birds (4)
4 Prepare, as in plans (4,2)
5 Ordained ministers (7)
6 However (11)
9 Chirping insect (7)
11 Noble (6)
14 Open-topped tart (4)
16 Ex-Korean president, Kim ___-jung (3)

Crossword 7

Across

1 Third-place award (6,5)
7 Notice (4)
8 Glob (6)
9 Tree branches (5)
10 Gold star, eg (5)
13 Washed out (5)
15 Wafting scent (5)
17 Relating to the lower spine (6)
18 Small hotels (4)
19 Visual lacks of balance (11)

Down

2 Exact copy (7)
3 Memorable (7)
4 Ceases (4)
5 River mouth (5)
6 Fatty compound (5)
11 Soldier (7)
12 Courting (7)
13 Chap, informally (5)
14 Mannequin (5)
16 Available (4)

Crossword 8

Across

1 Unlikely (11)
7 Beamed (6)
8 Very many (4)
9 Battery terminal (5)
11 Get ready to propose, maybe (5)
13 Vestibule (5)
14 Computer character set (init.) (5)
16 Horse-breeding farm (4)
18 Sketches (6)
20 Trained to expect (11)

Down

2 Keepsake (7)
3 'OMG, that's funny' (init.) (3)
4 Loosen, as in a knot (4)
5 Isolated land masses (7)
6 On fire (3)
10 Decrypted (7)
12 Biblical letter (7)
15 Make changes (4)
17 Eastern philosophical principle (3)
19 In the past (3)

Crossword 9

Across
1 Interpreted (10)
7 Terrifies (6)
8 Purchases (4)
9 Small, black, oval fruit (5)
11 Appears (5)
13 Visitors to a website (5)
14 Steer (5)
16 In vain (2,2)
18 Cream-filled choux pastry (6)
20 Oratorical (10)

Down
2 Remembers (7)
3 And not (3)
4 Young girl (4)
5 Vivid pictorial impression (7)
6 Night's counterpart (3)
10 Wordy (7)
12 Type of fortified wine (7)
15 Mexican monetary unit (4)
17 Rowing requirement (3)
19 Floral offering (3)

Crossword 10

Across
1 Natural consumption cycle (4,5)
7 Grecian column style (5)
8 Synthetic clothing material (5)
10 Senses of self-esteem (4)
11 Menacing warning (6)
14 Compel (6)
15 Founder of the Holy Roman Empire (4)
17 Guitar-family instrument (5)
19 Duck sound (5)
20 Sample (9)

Down
2 Score against yourself, in soccer (3,4)
3 Cut into cubes (4)
4 Island containing Tokyo (6)
5 Ailing (3)
6 Tucked-knees pool entry (4-4)
9 Socializes for work purposes (8)
12 Remove (7)
13 Skip over (6)
16 Water (4)
18 Corporal, eg (init.) (3)

Crossword 11

Across
1 Chronicler (9)
8 Fantasy (5)
9 Monochrome photo shade (5)
10 Go beyond (6)
12 Henry VIII's wife, Boleyn (4)
14 Hue (4)
15 Mixed cereal breakfast (6)
17 Formally deliver (5)
18 Medicine bottle (5)
20 Dressed a wall (9)

Down
2 Freezer deposits (3)
3 Lumberjack's cry (6)
4 Stand up (4)
5 Pastes on the end of a document (7)
6 Publicize (9)
7 Component substances (9)
11 Regulate (7)
13 Mix of red and blue (6)
16 Steams of liquid or gas (4)
19 Eisenhower (3)

Crossword 12

Across
7 Thin wrapping sheet (6,5)
8 Get the wrong idea, perhaps (7)
9 Actor, McKellen (3)
10 Bluff (5)
12 Spiritual emblem (5)
13 Auction item (3)
14 Nearest (7)
16 Relative (11)

Down
1 Extremely accurate timepiece (6,5)
2 Mother of Horus (4)
3 Trivial (11)
4 Functional (11)
5 Dash (6)
6 Sent from one place to another (11)
11 Eventually (2,4)
15 Malevolence (4)

Crossword 13

Across
3 Pare (5)
6 *Donkey Kong* villain (7)
7 Calls out (5)
8 Make a speech (5)
9 Spider's home (3)
11 Type of facial hair (5)
13 Played, as in with an idea (5)
15 Expression of surprise (3)
18 Bullet firings (5)
19 Seventeen-syllable poem (5)
20 Dried grape (7)
21 Owned person (5)

Down
1 Route (6)
2 Image (7)
3 Carton (6)
4 Single entity (4)
5 Really not difficult (4)
10 Pesters (7)
12 Reason out (6)
14 Increase in length (6)
16 Ergo (4)
17 Leaning Tower city (4)

Crossword 14

Across
1 Fear of open areas (11)
7 Bumped into (3)
8 Very near (5,2)
9 Disturb (4)
10 Do not deviate from (4,2)
13 Hurry (6)
14 Mathematical positions (4)
16 Nuclear power generator (7)
18 A woman's reproductive cells (3)
19 Result (11)

Down
1 Creating a distinctive mood (11)
2 Acquires (7)
3 Bends through the air (4)
4 Addicted (6)
5 Opposite of 'hi' (3)
6 Fairly accurate (11)
11 This, eg (7)
12 Colonize (6)
15 Indic language (4)
17 Beach Boys song, *Barbara* ___ (3)

Crossword 15

Across
1 Shortened (11)
7 Grammatically correct (11)
8 Cars (11)
13 Furniture to eat at (6,5)
18 Characteristic (11)
20 Non-committal attitude (11)

Down
2 Marshy lake or river outlet (5)
3 Relation between two amounts (5)
4 Hoover (abbr.) (3)
5 Proof of being elsewhere (5)
6 Avoid (5)
9 Can (3)
10 Member of a Myanmar people (3)
11 Android, perhaps (3)
12 Research room (3)
14 Frosting (5)
15 Opening (5)
16 Madcap act (5)
17 Dwells (5)
19 Edible kernel (3)

Crossword 16

Across
1 Laying out a book (11)
7 Grown-ups (6)
8 Unpaid sum (4)
9 Filthy (5)
11 Encryptions (5)
13 Musical combination (5)
14 Unnerve: ___ out (5)
16 Assume a position (4)
18 Omitting (6)
20 Fortified places (11)

Down
2 European Jewish language (7)
3 Slippery fish (3)
4 Hitherto (archaic) (4)
5 Boring (7)
6 Central point (3)
10 Underwater missile (7)
12 Broke free (7)
15 Floating mass of ice (abbr.) (4)
17 Choose (3)
19 Loving murmur (3)

Crossword 17

Across
1 Deputies (11)
6 Have an influence on (6)
7 Archaic pronoun (4)
8 Deck crew (5)
11 Explosive weapons (5)
12 Musical manuscript lines (5)
13 Court official (5)
17 Repeated sound of laughter (4)
18 Rely (6)
19 Finishing blow (4,2,5)

Down
1 Dog rope (5)
2 Waiflike (5)
3 Has dinner (4)
4 Writers (7)
5 Disturb (7)
9 1920s architectural style (3,4)
10 Grow over time (7)
14 Doglike African mammal (5)
15 Roof apex line (5)
16 Boundary (4)

Crossword 18

Across
1 Cautiously (11)
7 Pipe (4)
8 Attack (6)
9 Journos (5)
10 Behaved (5)
13 Stylistic category (5)
15 Wandering person (5)
17 Cloth (6)
18 Those people (4)
19 The flow of electrons (11)

Down
2 Imitate (7)
3 Hiker (7)
4 Lean (4)
5 Pass, as a law (5)
6 Give up (5)
11 Puzzling (7)
12 Least difficult (7)
13 Faux pas (5)
14 Aristocratic (5)
16 A lasting trauma (4)

Crossword 19

Across
3 Business clothes (5)
6 Handel oratorio (7)
7 Glorify (5)
8 Type of medical dialysis (5)
9 Amsterdam University (abbr.) (3)
11 Loft (5)
13 Long narrative poems (5)
15 Farmyard milk producer (3)
18 Rot (5)
19 Digital letter (5)
20 Bestowed (7)
21 Customer (5)

Down
1 Large area of dry land (6)
2 Relating to the Muslim religion (7)
3 Put a book away (6)
4 Mosque prayer leader (4)
5 Takes a seat (4)
10 Seems (7)
12 Neckband (6)
14 Pursued (6)
16 Action word (4)
17 Mother of Jesus (4)

Crossword 20

Across
1 Expensive (6)
4 Green citrus fruit (4)
8 Exacted retribution (7)
9 Something you bathe in (3)
10 Ballerina's skirt (4)
11 Extreme fright (6)
13 Soldier's rallying call (3,3)
14 Couch (4)
16 Corporate degree (init.) (3)
17 Waterproof jackets (7)
18 Promontory (4)
19 Myth (6)

Down
1 Female artisan (11)
2 A wish for a good night's sleep (5,6)
3 Records (4)
5 Ask questions (11)
6 Feeling shame (11)
7 Cow's mammary gland (5)
12 Range (5)
15 Mode of voice (4)

Crossword 21

Across
1 Pre-mp3 media (7,4)
7 Highly strung (7)
8 Global heat source (3)
9 Cooking measure (abbr.) (4)
11 Elaborately ornamental style (6)
13 Actually (6)
14 Glide across the surface (4)
16 Part of a monarch's regalia (3)
17 Economizes (7)
19 Type of male underwear (5,6)

Down
1 Multi-projectile munition (7,4)
2 Bathroom floor covering (3)
3 Pond organism (4)
4 Military bugle recall (6)
5 Available for immediate purchase (2,5)
6 Those who comply with social norms (11)
10 Speaker's temporary platform (7)
12 Less far away (6)
15 Inner side of the foot (4)
18 Spoil (3)

Crossword 22

Across
1 Violent insurgent (9)
8 Indian language (5)
9 Not fresh, perhaps (5)
10 Thin cotton cloth (6)
12 Central points (4)
14 Adds (4)
15 Teaching unit (6)
17 Deliberately dated (5)
18 Search thoroughly (5)
20 Staff (9)

Down
2 Geologist's time measure (3)
3 Dried grape (6)
4 Reddening on a person's skin (4)
5 Dark areas (7)
6 Science subject (9)
7 Couturiers (9)
11 Medical indicator (7)
13 Frothy (6)
16 Buffoon (4)
19 It's mined for minerals (3)

Crossword 23

Across
1 Complex projects (11)
6 Plan; mean (6)
7 Hellish river (4)
8 Slides (5)
11 Another time (5)
12 Long, low sofa (5)
13 Leaf pore (5)
17 Fusion weapon (4)
18 Spud (6)
19 Miss America, eg (6,5)

Down
1 Ways out (5)
2 As one, in music (5)
3 Elongated seed-holders (4)
4 Visible (2,5)
5 Heaven, to ancient Greeks (7)
9 Spare time (7)
10 Area of level high ground (7)
14 Egg-shaped (5)
15 Nut from an oak tree (5)
16 Lively (4)

Crossword 24

Across
1 Bleak (6)
4 Give a title to something (4)
6 An hour before midnight (6)
7 Small, thin piece of something (4)
8 Miniature tree (6)
11 Adequate (4)
12 Million, as a prefix (4)
13 Fragrant spice root (6)
16 Cry uncontrollably (4)
17 Chore (6)
18 Pallid (4)
19 Kind of (6)

Down
1 Dork (5)
2 Serious and unrelenting (5)
3 Aircraft wheels (7,4)
4 Maternity-ward baby (7)
5 Communication (7)
9 Unified state (7)
10 Acutely (7)
14 Plot (5)
15 Airport scanning system (5)

Crossword 25

Across
1 Data science (10)
7 Animal dung (6)
8 Plunder (4)
9 Collection of songs (5)
11 Special reward (5)
13 Exactly right (5)
14 Official order (5)
16 The Three Wise Men (4)
18 Keyboard writing (6)
20 Find by chance (4,6)

Down
2 Followed (7)
3 Day before Friday (abbr.) (3)
4 Psychic (4)
5 Badly brought up (3-4)
6 'Full house', on Broadway (init.) (3)
10 Nuclear-reactor fuel (7)
12 Climbs up (7)
15 Highest European volcano (4)
17 Curved line (3)
19 For each (3)

Crossword 26

Across
3 Map (5)
6 Intoxicating drink (7)
7 Foolish person (5)
8 Does not pass (5)
9 Chemical engineer (abbr.) (2,1)
11 About (5)
13 Precise (5)
15 Lens-based metering system (init.) (3)
18 Tea, orange ___ (5)
19 Central African river (5)
20 Slip-up (7)
21 Not these (5)

Down
1 Acid counterpart (6)
2 Assemble (7)
3 Trope (6)
4 Against a background of (4)
5 Carry (4)
10 Specialists (7)
12 Not out (2,4)
14 Timepieces (6)
16 Jazz singing style (4)
17 Keen on (4)

Crossword 27

Across
1 Contest (11)
7 Makes cat sounds (4)
8 Fumes (6)
9 Standards (5)
10 Penalized (5)
13 Stench (5)
15 Sacred song (5)
17 Subtlety (6)
18 Engrossed (4)
19 Founded (11)

Down
2 Unfold (4,3)
3 Mail deliverer (7)
4 USSR news agency (4)
5 Make permanent (3,2)
6 Snooped (5)
11 Puts in (7)
12 Overshadow (7)
13 Awareness (5)
14 Not suitable for the situation (5)
16 Touch (4)

Crossword 28

Across
1 On the way (2,7)
8 Cherished (5)
9 Animal organ often eaten as food (5)
10 Absolute truth (6)
12 Where your leg bends (4)
14 Type of furniture wood (4)
15 Small room (6)
17 Grasp (5)
18 Used a broom (5)
20 Headroom (9)

Down
2 All Saints' Day month (abbr.) (3)
3 Infested (6)
4 Of no value (4)
5 Creates (7)
6 Most insignificant (9)
7 Point in a particular direction (9)
11 Dimensional (7)
13 Blood fluid (6)
16 Sonic the Hedgehog company (4)
19 Latin for 'and so on' (abbr.) (3)

Crossword 29

Across
1 Long-distance clubs (7)
5 State of matter (3)
7 Prosecute (3)
8 Large-leaved, edible plant (7)
9 One or the other (6)
10 Sitting around (4)
12 Something to scratch? (4)
13 Automobiles (6)
15 Lava emitter (7)
16 USB splitter (3)
17 Arid (3)
18 Compel observance of (7)

Down
1 Not trusted (11)
2 Equivalently (11)
3 Won (6)
4 Oxtail, eg (4)
5 Nana (11)
6 Capable of going underwater (11)
11 Fall asleep (3,3)
14 Visage (4)

Crossword 30

Across
1 Detestable (9)
7 Apply again (5)
8 Municipal (5)
10 Principal (4)
11 Long-tailed crow (6)
14 Hours of darkness (6)
15 Swig (4)
17 Acquire knowledge (5)
19 Bad deeds (5)
20 Move around freely (4,3,2)

Down
2 Avoiding, as in danger (7)
3 Operator (4)
4 Get-together (6)
5 Vivian, to her friends (3)
6 Felon (8)
9 Least expensive (8)
12 Pelting (7)
13 Attitude (6)
16 Hemmed (4)
18 Fuss (3)

Crossword 31

Across
1 Atomic scientists, eg (10)
7 Large tropical lizard (6)
8 Classic children's game (1,3)
9 Accomplishments (5)
11 Musical frequency (5)
13 Steps in and out of a field, perhaps (5)
14 Give out (5)
16 Unwanted email (4)
18 Abundance (6)
20 New wave (5-5)

Down
2 Greatest (7)
3 Expanse of salt water (3)
4 Pottery material (4)
5 Souls (7)
6 Take a spoonful of liquid (3)
10 Quandary (7)
12 Journeyed by boat (7)
15 Remaining (4)
17 Edible, spherical green seed (3)
19 The former KGB's main rival (init.) (3)

Crossword 32

Across
1 Clear (11)
7 Takes in a child for life (6)
8 Animal hands (4)
9 Follow, as in advice (3,2)
11 Small house (5)
13 Changes a document (5)
14 Digression (5)
16 Weapon supplies (4)
18 Completely erase (6)
20 Rear vistas (11)

Down
2 Decreased (7)
3 Forty winks (3)
4 Historical (4)
5 Says again (7)
6 Recent (3)
10 Prospect (7)
12 Brought on (7)
15 Sudden direction change (4)
17 Unaccounted for after combat (init.) (3)
19 Highly contagious viral infection (3)

Crossword 33

Across
1 Someone who brings a legal action (9)
8 Jewish teacher (5)
9 Conscious (5)
10 Result of a negotiation (6)
12 'Forever!' (4)
14 Level (4)
15 Portable climbing frame (6)
17 Cartoon canine (5)
18 Commenced (5)
20 Got well again (9)

Down
2 Overhead shot in tennis (3)
3 Imbeciles (6)
4 Demonstrative pronoun (4)
5 Marked for attention (7)
6 Preliminary version (9)
7 Gauging (9)
11 Perform, as in instructions (7)
13 Small glass sphere (6)
16 Company image (4)
19 Thousand dollars (US slang) (3)

Crossword 34

Across
1 Spade's companion, to a kid (6)
4 Speech defect (4)
6 Start to confide (4,2)
7 Column spacings (4)
8 One who belongs to a group (6)
11 Cut (4)
12 Writer of verse (4)
13 The distance something is out of line (6)
16 Of fairly low temperature (4)
17 Damage (6)
18 Nays' opposites (4)
19 Fade with age (6)

Down
1 Come into full beauty (5)
2 Thick milk (5)
3 Most important (3,8)
4 Release (3,2,2)
5 Diminish (7)
9 A branch of biology (7)
10 Glass containers (7)
14 Will (5)
15 Chucked (5)

Crossword 35

Across

1 Fly into a rage (2,9)
7 Answerable (11)
8 Legal proceedings against someone (11)
13 Farming science (11)
18 Ice-cream dessert (6,5)
20 Self-contained (11)

Down

2 Academy award (5)
3 Nuclei and electrons (5)
4 Internal computer network (init.) (3)
5 Bright (5)
6 Inuit house (5)
9 Owned by everyone (3)
10 Computer key (3)
11 Online bookmark (init.) (3)
12 Credit note (abbr.) (3)
14 Wheat, eg (5)
15 Fatuous (5)
16 Recorded (5)
17 Rule as monarch (5)
19 Wide street (abbr.) (3)

Crossword 36

Across

1 Chief representative of a country (4,2,5)
7 Poor excuse (3-3)
8 Wizard's prop (4)
9 Credit-card provider (4)
10 Was deficient in (6)
13 Its capital is Honolulu (6)
16 Catch sight of (4)
17 Take part in a game (4)
18 Savage (6)
19 Limiting (11)

Down

2 Imported curios (7)
3 Model landscape scene (7)
4 Causing death (5)
5 By surprise, as in 'taken ___' (5)
6 Stopped (5)
11 Compounds and substances scientist (7)
12 Justify (7)
13 Extremely energetic (5)
14 Has on, in terms of clothing (5)
15 Baghdad resident (5)

Crossword 37

Across

1 Defiantly aggressive (2-4-4)
7 Not these (6)
8 Greek equivalent of Mars (4)
9 Poetry (5)
11 Arrives (5)
13 Biblical gift (5)
14 Doubter (5)
16 Village People hit (init.) (4)
18 Wry (6)
20 Photo-taking essential (6,4)

Down

2 To a low degree (3,4)
3 Poem (3)
4 Hazard (4)
5 Bodily structure science (7)
6 Preceding day (3)
10 Caustic remark (7)
12 Release (7)
15 Platform from shore to water (4)
17 McDonald's burger, Big ___ (3)
19 Grease (3)

Crossword 38

Across

1 Based on a set of beliefs (11)
6 Of a greater volume (6)
7 Relocate (4)
8 Larceny (5)
11 Rime (5)
12 Dull work (5)
13 Disparages (5)
17 Mongolian and Chinese desert (4)
18 Cuban capital (6)
19 Following (2,3,4,2)

Down

1 Bay or cove (5)
2 Radiate, as an emotion (5)
3 Pod vegetable, sometimes deep-fried (4)
4 Degenerate (7)
5 Counsellor (7)
9 Whaling spear (7)
10 Nordic language (7)
14 Accepted practice (5)
15 Neck warmer (5)
16 Masticate (4)

Crossword 39

Across

1 Indicative (11)
7 Firearm (3)
8 Schematic (7)
9 Clans (6)
10 Enthusiasm and energy (4)
13 Female relative (4)
14 The eighth month (6)
16 Look at closely (7)
18 Smear (3)
19 Wet blankets (11)

Down

1 Ninth zodiac sign (11)
2 Bring up (7)
3 Cleans (6)
4 Fermented honey drink (4)
5 Rocky peak (3)
6 Make an agreement (4,2,5)
11 Earth's midriff? (7)
12 Fight (4-2)
15 Worn to conceal the face (4)
17 Major California airport (init.) (3)

Crossword 40

Across

3 Extra pay (5)
6 Resistance to change (7)
7 Sample with the nose (5)
8 Businesses (5)
9 Former jazz guitarist, Montgomery (3)
11 Roman marketplace (5)
13 Looks for (5)
15 Singer's need (3)
18 Assists in wrongdoing (5)
19 Hindu forehead decoration (5)
20 Handles (7)
21 Sports stadium (5)

Down

1 Blue shade (6)
2 Insurance payment (7)
3 Strikes hard (6)
4 Spiked metal fastener (4)
5 Gentle (4)
10 From Belgrade, eg (7)
12 Lowest limits (6)
14 Young cat (6)
16 Band famous for *Waterloo* (4)
17 Initial bet in poker (4)

Crossword 41

Across
1 Resulting decisions (11)
7 Begins (6)
8 Lab bottle (4)
9 Comes across (5)
11 Go around the edge of (5)
13 Pulsate (5)
14 Make more beautiful (5)
16 Popular Xbox game series (4)
18 Plea (6)
20 Disreputable but attractive quality (11)

Down
2 Large, flightless bird (7)
3 Wheeled vehicle (3)
4 The former Soviet Union (init.) (4)
5 Conjured up (7)
6 Promise of confidentiality (init.) (3)
10 Fall asleep (4,3)
12 Inspects again (7)
15 Binds the mouth of (4)
17 Norwegian pop band (1-2)
19 Ballpoint, eg (3)

Crossword 42

Across
1 The period taken by a process (9)
7 Velocity (5)
8 Unfasten (5)
10 Adjoin (4)
11 Inuit (6)
14 Spain and Portugal (6)
15 Stout pole on a ship (4)
17 Age (3,2)
19 Small mountains (5)
20 Any one or more of a group (9)

Down
2 Block of frozen water (3,4)
3 Whirling mist (4)
4 Awkward (6)
5 Actress, Hurley (3)
6 Fleeing (8)
9 Advancement (8)
12 Sudden whim (7)
13 Outdoor meal (6)
16 Second-person singular pronoun (archaic) (4)
18 'In truth', online (init.) (3)

Crossword 43

Across
1 Creative thinking (10)
7 Abides (6)
8 Repeated refusals (4)
9 Old communications service (5)
11 Competition reward (5)
13 Subway (5)
14 Common black tea (5)
16 Asian language (4)
18 Seller (6)
20 Anyway (10)

Down
2 Not any place (7)
3 One who goes to bed late (3)
4 Further (4)
5 Disregards (7)
6 Born (3)
10 Meriting (7)
12 Fervent (7)
15 Above (4)
17 Not him... (3)
19 Nothing (3)

Crossword 44

Across
1 Written testimonies (10)
6 Assigned a path (6)
7 Dreary (4)
10 Marshal (7)
12 Twenty-third Greek letter (3)
13 Strong resentment (3)
14 Vehicle-cleaning facility (3,4)
15 Hinged opening in a fence (4)
18 Holy place (6)
19 Dramatist (10)

Down
1 Emphasizing (9)
2 Diversion (9)
3 Melancholy (7)
4 Get the ___, to be selected (3)
5 Forerunner of reggae (3)
8 Substituting (9)
9 Most intelligent (9)
11 Also (7)
16 Current unit (3)
17 Spacewalk (abbr.) (3)

Crossword 45

Across
1 Beget (4,5,2)
7 VHS player (init.) (3)
8 Most prying (7)
9 Extended (6)
10 Shorten, as in a sail (4)
13 Unkind (4)
14 Younger (6)
16 Cherish (7)
18 Long period (3)
19 Small fire-lighting stick (6,5)

Down
1 National ruling bodies (11)
2 Roofed, external gallery (7)
3 Flag (6)
4 Corrosion (4)
5 Shade (3)
6 Panting (3,2,6)
11 Distinguished (7)
12 Building with historical exhibits (6)
15 Chase (4)
17 Sports official (3)

Crossword 46

Across
1 Investor (11)
7 Enchanting (7)
8 TV refresh rate (init.) (3)
9 Long-haired goat wool (6)
11 Repeat (4)
13 Cure (4)
14 Gangster's hat? (6)
16 Somewhat (3)
17 Inhabitant of northern India territory (7)
19 Solace (11)

Down
1 Good-hearted (11)
2 Central value (abbr.) (3)
3 Once more (6)
4 Gawk at (4)
5 Effective (2,5)
6 Renovation (11)
10 Make happy (7)
12 Protruding organ (6)
15 Engaged in (2,2)
18 Boxer, Muhammad (3)

Crossword 47

Across
1 Lowering in rank (11)
7 Meeting plan (6)
8 Push and pull up and down (4)
9 Unite (5)
11 Chinese or Thai, eg (5)
13 Fright (5)
14 Thick slice of meat (5)
16 Ibuprofen target (4)
18 Conflicts (6)
20 Have a heated argument (5,6)

Down
2 Entirely natural (7)
3 Religious sister (3)
4 Iranian monetary unit (4)
5 Down payment (7)
6 Classic object-taking game (3)
10 Surgery pincers (7)
12 Modified (7)
15 ETs' crafts (abbr.) (4)
17 Rotter (3)
19 Slime (3)

Crossword 48

Across
1 Generalization (11)
7 Dog's house (6)
8 Make indistinct (4)
9 Slender woody shoot (4)
10 Package (6)
13 Out of the ordinary (6)
16 Public transport vehicle (4)
17 Shades (4)
18 Vigorous (6)
19 Categorizing (11)

Down
2 Hive-building material (7)
3 This evening (7)
4 Improvise (2-3)
5 Kept an engine running (5)
6 Cheek (5)
11 In particular (7)
12 Contact (7)
13 Moral principle (5)
14 *Tosca*, eg (5)
15 Short-legged breed of dog (5)

Crossword 49

Across

3 Lose control (2,3)
6 Spiral ear cavity (7)
7 Excursions (5)
8 A consignment of goods (5)
9 The letter after sigma (3)
11 Figure brought to life by magic (5)
13 Higher (5)
15 Morning moisture (3)
18 Ape (5)
19 Greeting (5)
20 Inane (7)
21 Beer (5)

Down

1 Salad item (6)
2 Astonished (7)
3 Layered, soft cake (6)
4 Key graph line (4)
5 Lack of difficulty (4)
10 Twentieth Greek letter (7)
12 Personal account (6)
14 Cure-all (6)
16 Singer, Collins (4)
17 Online journal (4)

Crossword 50

Across

1 With a compelling charm (11)
7 Asteroid near-miss (init.) (3)
8 Less expensive (7)
9 Sharp reply (6)
10 Feature of church architecture (4)
13 Physical structure of a person (4)
14 Incite (4,2)
16 Whirlwind (7)
18 A proton, eg (3)
19 Functions, in computing (11)

Down

1 Adds (11)
2 Ended prematurely (7)
3 Becomes subject to (6)
4 Bearing; manner (4)
5 Domestic water source (3)
6 Communicates via letter (11)
11 Piece (7)
12 Greatest (6)
15 Very thin Mexican pancake (4)
17 Part of a bodily cage (3)

Crossword 51

Across

1 Idle TV watcher (5,6)
7 Rob in public (3)
8 Congestion (7)
9 Jump (4)
10 Ceremonial (6)
13 Type of salad (6)
14 Isolated, flat-topped hill (4)
16 Instructor (7)
18 Unwanted personal details (init.) (3)
19 Account (11)

Down

1 Elaborate (11)
2 Improve (7)
3 Detest (4)
4 Speaker (6)
5 Alfred, to his friends (3)
6 Rhythmic vibration (11)
11 Famous conductors (7)
12 Priest's title (6)
15 Support (4)
17 Tough, rigid plastic (init.) (3)

Crossword 52

Across

1 Acts a competition judge (11)
7 Small racing vehicle (2-4)
8 Pulls (4)
9 Insolent (5)
11 Confidence (5)
13 Lit-up (5)
14 Concepts (5)
16 Mild expression of annoyance (4)
18 As much as can be held (6)
20 According to theory (2,9)

Down

2 Condemning (7)
3 *Smash* actress, Thurman (3)
4 Greek letter before kappa (4)
5 Dressed (7)
6 Breakfast item (3)
10 Graph output device (7)
12 Common ocean-side bird (7)
15 Young deer (4)
17 Move faster than a walk (3)
19 Hospital scanning technology (init.) (3)

Crossword 53

Across
1 Changes to become different (11)
7 Fashions (6)
8 Dog-eared (4)
9 Former Spice Girl, Bunton (4)
10 Yarn (6)
13 Foreigners (6)
16 Quiet; gentle (4)
17 Ancient symbol of life (4)
18 Spoken (6)
19 Playground game (4-3-4)

Down
2 Best possible (7)
3 Large hamlet (7)
4 Start again (5)
5 Endangered atmosphere layer (5)
6 Church assembly (5)
11 Comments (7)
12 Transparency film (7)
13 Embarrass (5)
14 Irritated (5)
15 VII, to the Romans (5)

Crossword 54

Across
1 Illuminates (6)
4 Drinks mixer (4)
6 Breathing disorder (6)
7 Besides that (4)
8 Top of the line (6)
11 Work hard (4)
12 Cowardly person (4)
13 Skulked (6)
16 Laugh loudly (4)
17 Sloping font (6)
18 December holiday, informally (4)
19 Highly polished (6)

Down
1 Tilts (5)
2 Arise from bed (3,2)
3 Headline act (4,7)
4 Refuge (7)
5 Regardless of (7)
9 Unvarying (7)
10 Runs out (7)
14 Terminates (5)
15 Publicly denounce (5)

Crossword 55

Across
3 Tied (5)
6 'Be quiet!' (7)
7 Utters a short, sharp cry (5)
8 Inventory (5)
9 Twelfths of a foot (abbr.) (3)
11 Walk heavily (5)
13 Those who get things done (5)
15 In advance of, poetically (3)
18 Rainbow-forming glass (5)
19 Evidence (5)
20 Liabilities (7)
21 Chocolate substitute pod (5)

Down
1 Rubbish (6)
2 Greet on arrival (7)
3 Surpassing (6)
4 Not pleasant to look at (4)
5 Correct amount of medicine (4)
10 Origins (7)
12 Modular house (6)
14 Health spa (6)
16 *The Odyssey*, eg (4)
17 Two squared (4)

Crossword 56

Across
1 Bear young (9)
7 Start (5)
8 Alluring but dangerous woman (5)
10 Wind in loops (4)
11 Nailing tool (6)
14 Warm again (6)
15 Advanced products (4)
17 'The same thing again' (5)
19 At some point in the future (5)
20 Break from a rule (9)

Down
2 What this is written in (7)
3 Tear to pieces (4)
4 Cause someone concern (6)
5 Writable optical media (2-1)
6 Hidden (8)
9 Opposite of southern (8)
12 Conductor (7)
13 In abundance (6)
16 Level; smooth (4)
18 Duty (3)

Crossword 57

Across
1 Sports headgear (8,3)
6 Closer (6)
7 Brazenly promote (4)
8 Small, fragrant shrub (5)
11 Rascal (5)
12 Implied (5)
13 Buffoons (5)
17 Short skirt (4)
18 More than one (6)
19 Low-height forest plants (11)

Down
1 Trite (5)
2 Stable enclosure (5)
3 Away from the expected course (4)
4 Correspondence (7)
5 Extremely insulting (7)
9 Tehran resident (7)
10 Extremely stupid (7)
14 Scatter around (5)
15 Airy spirit (5)
16 Digital picture format (init.) (4)

Crossword 58

Across
1 Inconsiderate (10)
7 Solitary (6)
8 Type of golf stroke (4)
9 Worthless leftovers (5)
11 Oafs (5)
13 Traverse (5)
14 Seize by force (5)
16 Lock of hair (4)
18 Still in existence (6)
20 Evoked (10)

Down
2 Not the one nor the other (7)
3 Clasp tightly (3)
4 Christmas (4)
5 Pierces with a weapon (7)
6 Stomach (3)
10 Short spiral pasta (7)
12 Drive insane (7)
15 Restaurant choices (4)
17 Parcel delivery company (init.) (3)
19 'Not yet public' (init.) (3)

Crossword 59

Across

1 Considerable (11)
7 More cheery (7)
8 Not very intelligent (3)
9 Delayed (4)
11 Small bird of prey (6)
13 Trim back (6)
14 Queries (4)
16 *2001: A Space Odyssey* computer (3)
17 Quantified amount (7)
19 Competitor; contributor (11)

Down

1 Student grant (11)
2 Motor-power unit (init.) (3)
3 Used to identify a specific item (4)
4 Usual (6)
5 Brings on (7)
6 Emitting light (11)
10 Young child (7)
12 Battered seafood dish (6)
15 Vehicle for hire (4)
18 America (init.) (3)

Crossword 60

Across

1 Meaty; vigorous (4-7)
7 Short pleasure trips (6)
8 Protrudes (4)
9 Fenced areas (5)
11 Metal fastener (5)
13 Banquet (5)
14 Balance sheet resource (5)
16 Captain Hook's right-hand man (4)
18 Consecrate a priest (6)
20 Small amounts (11)

Down

2 Ignorant (7)
3 Unisex first name (3)
4 Didn't win (4)
5 Takes exception to (7)
6 Founded (abbr.) (3)
10 Sweet course (7)
12 Late daytime (7)
15 'Approach' (4)
17 *James Bond* distributor (init.) (3)
19 Hardware output resolution (init.) (3)

Crossword 61

Across
1 Charges (7)
5 Small, social insect (3)
7 Segment from a chart? (3)
8 Stores with a wide range of goods (7)
9 Pay attention to (6)
10 Performs brilliantly (4)
12 Municipality (4)
13 Vinegary, eg (6)
15 Japanese feudal warrior (7)
16 Overweight/underweight indicator (init.) (3)
17 Cos counterpart (abbr.) (3)
18 Incorporate (7)

Down
1 Sets of equipment (11)
2 Female priest (11)
3 Directs (6)
4 Drains (4)
5 Spell-casting word (11)
6 Trade (11)
11 Deed (6)
14 George Orwell's real first name (4)

Crossword 62

Across
1 Poignant (9)
8 Oversight; omission (5)
9 Reinstall (5)
10 Calm and dignified (6)
12 Fit (4)
14 Doe and roe (4)
15 Followed orders (6)
17 Squander (5)
18 Perform again (5)
20 Persecutes (9)

Down
2 European politician (init.) (3)
3 A score (6)
4 Rows a boat (4)
5 Genially (7)
6 Cease business (5,4)
7 Servant (9)
11 Wear your best clothes (5,2)
13 Pulls the plug on (6)
16 Equipment (4)
19 Type of cereal plant (3)

Crossword 63

Across

1 Admired (9)
7 Subsidiary theorem in a proof (5)
8 Ventilated (5)
10 Home internet connection (init.) (4)
11 Releases (6)
14 Serviceable (6)
15 A malicious look (4)
17 Inched (5)
19 Advertising text (5)
20 Rotating gate (9)

Down

2 As a single group (2,5)
3 Apple relative (4)
4 Unrefined (6)
5 Musical ability (3)
6 Gratification (8)
9 Depict in words (8)
12 Not the same (7)
13 Abrupt (6)
16 Assist in wrongdoing (4)
18 Large antelope (3)

Crossword 64

Across

1 Overcoming (11)
7 Chances (4)
8 In the hope of being paid (2,4)
9 Ruin (5)
10 Large, stringed instrument (5)
13 Targets (5)
15 Apportion (5)
17 Literary term for England (6)
18 Require (4)
19 Burials (11)

Down

2 Be put through (7)
3 Pleasing to the ear (7)
4 Thick Japanese pasta strips (4)
5 Incite; goad (5)
6 Tropical lizard (5)
11 Improve (7)
12 Biggest (7)
13 Tomb (5)
14 Head monk (5)
16 Round handle (4)

Crossword 65

Across
1 Ratio (10)
7 Proverb (6)
8 Arty Manhattan district (4)
9 Pizzazz (5)
11 Flat food dish (5)
13 Biochemical test (5)
14 Common; ordinary (5)
16 'Right away!' in hospital (4)
18 Relating to milk (6)
20 Balanced agreement (10)

Down
2 Explanations (7)
3 Greek letter before chi (3)
4 Heavy floor mats (4)
5 Calls names (7)
6 Denoting a number in a list (3)
10 Ghost (7)
12 Sycophants (7)
15 Aspersion (4)
17 Involuntary muscular contraction (3)
19 Online video device (3)

Crossword 66

Across
1 Biology researchers, eg (10)
6 Assault (6)
7 Make a marking on metal (4)
10 That woman, personally (7)
12 Actress, Gardner (3)
13 Something to wear with a suit? (3)
14 Thumbs down (7)
15 Individual account entry (4)
18 District (6)
19 Cog systems (10)

Down
1 Common type of pasta (9)
2 Arbitrate (9)
3 Fusion power type (7)
4 Notice (3)
5 Fluid pouch in an animal (3)
8 Broadcasts (9)
9 Newspaper leaders (9)
11 XV, to the Romans (7)
16 Epistle from Paul (abbr.) (3)
17 Science masters degree (abbr.) (1,2)

Crossword 67

Across

1 Size (9)
8 Encourages (5)
9 Theme (5)
10 Son of Zeus (6)
12 European particle physics lab (init.) (4)
14 Large town (4)
15 Profession (6)
17 Baked dough (5)
18 Pace (5)
20 Samba relative (5,4)

Down

2 The eighth month (abbr.) (3)
3 To settle comfortably (6)
4 Small children (4)
5 Reduce (7)
6 Tea sweetener (5,4)
7 Outlines (9)
11 Out and about (2,3,2)
13 Patterned Scottish cloth (6)
16 Ancient Roman calendar day (4)
19 *Punk'd* channel (init.) (3)

Crossword 68

Across

3 Fish covering (5)
6 Equilibrium (7)
7 A certain punctuation mark (5)
8 Fire a gun (5)
9 Opposite of don'ts (3)
11 Offensiveness (5)
13 Coarse (5)
15 East-African time zone (init.) (3)
18 Spoken songs (5)
19 Engine (5)
20 Continuing (7)
21 Start afresh (5)

Down

1 Whacked (6)
2 Post-Renaissance music period (7)
3 Area (6)
4 Intentions (4)
5 Vivacity (4)
10 Biblical king of Israel (7)
12 Bone filling (6)
14 The Twins constellation (6)
16 Muslim ruler (4)
17 Stupefy (4)

Crossword 69

Across
1 Association (11)
7 Tropical edible root (3)
8 Liturgical book (7)
9 Adonis (4)
10 Close-harmony rock and roll style (3-3)
13 Valuable possessions (6)
14 Implore (4)
16 Goes to bed (7)
18 Early computing pioneer, Lovelace (3)
19 Exact location (11)

Down
1 Relating to mental illness (11)
2 Prompts (7)
3 Sleeps during the day (4)
4 Logic (6)
5 Small house or shelter (3)
6 Computer add-ons (11)
11 Justify (7)
12 Placed in the attic, perhaps (6)
15 Unique identifier for a book (init.) (4)
17 Also (3)

Crossword 70

Across
1 A difference from what is expected (11)
6 Hooked up to the internet (6)
7 Harsh (4)
8 Follows orders (5)
11 Tapered roll of tobacco (5)
12 Misbehave (3,2)
13 Avarice (5)
17 Involving vocal parts (4)
18 Beat (6)
19 Diminuendo (11)

Down
1 Italian cathedral (5)
2 Find the answer (5)
3 Female sheep (4)
4 Madder (7)
5 Environmental status (7)
9 Since (7)
10 Not so old (7)
14 Ingested (5)
15 Disney's flying elephant (5)
16 Globes (4)

Crossword 71

Across

1 Considerable (11)
7 Insight (6)
8 Helps with something (4)
9 Large stream (5)
11 Flashy (5)
13 Groups of eight binary digits (5)
14 Tosses (5)
16 Territory governed by Hamas (4)
18 In spite of the fact that (6)
20 Complementary medicine massage technique (11)

Down

2 Usefulness (7)
3 Former musician, ___ Vicious (3)
4 Weapons (4)
5 Painful effort (7)
6 YouTube clip (3)
10 Examine up close (7)
12 Microwaving, colloquially (7)
15 Stubby-tailed cat (4)
17 Japanese PM (3)
19 Volume-level unit (3)

Crossword 72

Across

1 Hedonism (5,4)
7 Respect (5)
8 Splits (5)
10 Tall green vegetable of the onion family (4)
11 Mutter (6)
14 Coalition forces (6)
15 Caiman's cousin (4)
17 Chosen (5)
19 Flared skirt type (1-4)
20 Gifts (9)

Down

2 Drilled-petroleum site (3,4)
3 Prompts (4)
4 Good quality (6)
5 Just less than a jack (3)
6 Appraise (8)
9 Draws (8)
12 Concealing (7)
13 Device for boiling water (6)
16 Bollywood dress (4)
18 Fairy (3)

Crossword 73

Across
1 Enterprise (10)
7 Suitable; appropriate (6)
8 Feverish fit (4)
9 Business computer language (init.) (5)
11 Tilts to one side (5)
13 Treatise (5)
14 Entomb (5)
16 Dry riverbed (4)
18 In the air (6)
20 Longitudinally (10)

Down
2 Apprehensive (7)
3 Be better than (3)
4 Land measure (4)
5 Romance language (7)
6 Large, flightless bird (3)
10 Sustained show of appreciation (7)
12 Healing treatment (7)
15 Survive; endure (4)
17 Afflict (3)
19 Quarrel (3)

Crossword 74

Across
1 Excessively (6)
4 Feudal slave (4)
8 Person privy to private information (7)
9 Swindle (3)
10 Role in a play (4)
11 Voucher (6)
13 Decoration for a present (6)
14 New Zealander (4)
16 Works of creative imagination (3)
17 Wide strait (7)
18 Orderly (4)
19 Lower land between hills (6)

Down
1 Inconsequential (11)
2 Gave out (11)
3 Woman (4)
5 Extraordinary (11)
6 With respect to money (11)
7 Begin to wilt (5)
12 Sound through the mouth (5)
15 Festivity (4)

Crossword 75

Across
1 Placing behind bars (11)
6 Flowing viscously (6)
7 Keyboard slip-up (4)
8 Room (5)
11 Fake (5)
12 Lens opening setting (1-4)
13 Michaelmas daisy genus (5)
17 Over-the-air internet (2-2)
18 Sated (4,2)
19 The Enlightenment (3,2,6)

Down
1 Shackles (5)
2 Italian baked dough dish (5)
3 Wise man (4)
4 Countries (7)
5 Roman equivalent of Poseidon (7)
9 Pressing (7)
10 Spicy pork sausage (7)
14 Cash registers (5)
15 Come to maturity (5)
16 Way off (4)

Crossword 76

Across
1 Emphasizing (11)
7 Large, cruel giant (4)
8 Aromatic ointment (6)
9 Cults (5)
10 Member of a company (5)
13 Begin (5)
15 Come together (5)
17 Jointly used (6)
18 Cupid's Greek counterpart (4)
19 Combining (11)

Down
2 Disregard (7)
3 Voter (7)
4 Throws through the air (4)
5 A picture within a picture, eg (5)
6 *Halo* fan? (5)
11 Substance (7)
12 Obsolete (7)
13 Japanese cuisine (5)
14 Look forward to (5)
16 Polish-German boundary river (4)

Crossword 77

Across
1 Requested sale value (6,5)
7 Probable (4-2)
8 Lip of a cup (4)
9 Entice (5)
11 Fermented grape juice drinks (5)
13 Charred remains (5)
14 Tolerated (5)
16 Exultation (4)
18 Technique (6)
20 Long, narrow paths (11)

Down
2 Sorrow (7)
3 Conditional clauses (3)
4 Firing weapons (4)
5 Constructed again (7)
6 Screen wizardry (init.) (3)
10 Vegetable skin removers (7)
12 Efficiency (7)
15 Arrogant (4)
17 Arable land (3)
19 Haul (3)

Crossword 78

Across
1 Relating to a particular language form (9)
7 Throws (5)
8 Baby's potential affliction (5)
10 Press forward (4)
11 Suddenly criticize (4,2)
14 Naval standard (6)
15 Plant whose leaf juice relieves burns (4)
17 Engraving tools (5)
19 This clue has six of them (5)
20 Consciousness (9)

Down
2 Takes a firm stand (7)
3 Suffer defeat (4)
4 Prickly plant (6)
5 Entirely (3)
6 Wrecks; thwarts (8)
9 Abridge (8)
12 North Star (7)
13 More horrible (6)
16 Same-aged sibling (4)
18 Rotate a helicopter (3)

Crossword 79

Across
1 Very tall buildings (11)
7 Destroys (6)
8 Mail (4)
9 Metallic vein (4)
10 Display surface (6)
13 Official population count (6)
16 Sunday to Saturday (4)
17 Small barrels (4)
18 Waterproof jacket (6)
19 Agreements (11)

Down
2 Bar-based singing activity (7)
3 Mysteries (7)
4 Dangers (5)
5 Wear down (5)
6 Glossy fabric (5)
11 Significantly revised a work (7)
12 Chic (7)
13 Dessert items (5)
14 Sunset to sunrise (5)
15 Type of reptile (5)

Crossword 80

Across
7 Happenings (11)
8 Boss (7)
9 Backing (3)
10 Group of nine people (5)
12 Romantic Hungarian pianist (5)
13 Tall tree with broad leaves (3)
14 Luggage (7)
16 Confidence in oneself (4-7)

Down
1 Basic intelligence (6,5)
2 Check for irregularities (4)
3 Tropical seabird (7,4)
4 Brain scientist (11)
5 Investigates, with 'out' (6)
6 Miscellanea (11)
11 That is to say (6)
15 Large, tailless primates (4)

Crossword 81

Across
1 Thwarted (10)
7 Moving (6)
8 Stay overnight in a tent (4)
9 Instructions (5)
11 Shut (5)
13 Ceases (5)
14 Slacker (5)
16 Stabilizing device (4)
18 Series of eight notes in a scale (6)
20 Benefit; worth (10)

Down
2 Enrol (7)
3 Toboggan runner (3)
4 Second-largest moon of Saturn (4)
5 Intercepted (7)
6 Barrier (3)
10 Investigate (7)
12 Does not proceed with, as in a project (7)
15 Vegetarian meat substitute (4)
17 The person I am addressing (3)
19 Heavy weight (3)

Crossword 82

Across
1 Bulging (11)
6 Placed inside another object (6)
7 Prone to snooping (4)
8 Continues; persists (5)
11 Metal pin (5)
12 Spoken (5)
13 Ornamental quartz (5)
17 Makes a geographical diagram (4)
18 Distilled alcohol (6)
19 Luckily (11)

Down
1 Wall section (5)
2 Fertile desert area (5)
3 Commanded (4)
4 Phoning (7)
5 Just beginning to exist (7)
9 Guacamole ingredient (7)
10 Ford van (7)
14 Tickle (5)
15 Dawn, to most people (5)
16 Design (4)

Crossword 83

Across

1 Corn-cutting tool (6)
4 Sail diagonally with the wind (4)
6 Chilliest (6)
7 It replaced the franc and mark (4)
8 Preserve a body from decay (6)
11 Dubious, informally (4)
12 Respiratory organ (4)
13 Sudden feeling of pleasure (6)
16 Remains of a ticket (4)
17 Insult (6)
18 Notion (4)
19 Chesterfield (6)

Down

1 Pig (5)
2 Go up in value (5)
3 Approximations (11)
4 Even more minuscule (7)
5 Deliberate (7)
9 Seated on a horse (7)
10 Branch of mathematics (7)
14 Unmoving (5)
15 Cabin (5)

Crossword 84

Across

1 Deep-blue stone (5,6)
7 Workout location (3)
8 Most affluent (7)
9 Silly person (4)
10 Object dropped by a ship in port (6)
13 Keyboard instruments (6)
14 Deceiver (4)
16 Came into contact with (7)
18 Common family pet (3)
19 Divisor (11)

Down

1 Nimble (5-6)
2 Repeatedly pressing (7)
3 Father (4)
4 Brogue (6)
5 Arabian peninsula country (init.) (3)
6 Translator (11)
11 Coiffure (7)
12 National song (6)
15 Adam and Eve's garden (4)
17 Water vessel (3)

Crossword 85

Across
1 Prolongs (7)
5 Y-shaped structure (3)
7 End in disaster (4,2,5)
8 Units of electric current (4)
10 Very poor person (6)
12 Has faith in (6)
13 Soft, French cheese (4)
15 Outlay (11)
17 One of the four seasons (abbr.) (3)
18 Fabricate (7)

Down
1 Sorceress (11)
2 Actor, Cruise (3)
3 Fruit with edible kernels (4)
4 Cue (6)
5 Speak softly (7)
6 Application of rules (11)
9 Chubbier (7)
11 Of a population subgroup (6)
14 The Jewish people (4)
16 Numero ___, the best (3)

Crossword 86

Across
1 Female shop assistant (9)
7 Coastal sea danger (5)
8 Jeans material (5)
10 Pinches; squeezes (4)
11 Sets of twelve (6)
14 Preoccupy (6)
15 Martial arts sword (4)
17 Schedule (5)
19 Employed (5)
20 Creators (9)

Down
2 Admits (7)
3 Compass point opposite west (4)
4 Male child sponsored at a baptism (6)
5 Ballot vote for new candidates (abbr.) (3)
6 Hard copy (8)
9 Scans some text incorrectly (8)
12 Penguin, perhaps (7)
13 Rise (6)
16 Stylish and fashionable (4)
18 Block (3)

Crossword 87

Across
- **3** Hopping mad (5)
- **6** Tropical cyclone (7)
- **7** Spy (5)
- **8** Unintelligent (5)
- **9** A long period of history (3)
- **11** Mocking smile (5)
- **13** Poetic lament (5)
- **15** Month before Jan (abbr.) (3)
- **18** Pixie (5)
- **19** Farewell (5)
- **20** Moved (7)
- **21** Copy's partner? (5)

Down
- **1** Dash (6)
- **2** Ensured (7)
- **3** Secure against possible loss (6)
- **4** In a frenzy (4)
- **5** Public exhibition (4)
- **10** Flowering plant grown as fodder (7)
- **12** Decline (6)
- **14** Cultivated area (6)
- **16** Light (4)
- **17** Head-louse eggs (4)

Crossword 88

Across
- **1** Excusable (11)
- **7** Unstable subatomic particle (4)
- **8** Garland (6)
- **9** More certain (5)
- **10** Desktop graphics (5)
- **13** Category (5)
- **15** Liquid (5)
- **17** Tangle up (6)
- **18** 'In memoriam' article (4)
- **19** Periodicals (11)

Down
- **2** Strange; rare (7)
- **3** Burrows (7)
- **4** Poultry (4)
- **5** 'Well done!' (5)
- **6** Belief system (5)
- **11** Announce (4,3)
- **12** Louder (7)
- **13** Tidy up (5)
- **14** Permit (5)
- **16** Festival; celebration (4)

Crossword 89

Across

1 Cartridge-based writing tool (8,3)
6 Bunny (6)
7 What Linux is based on (4)
8 Square or circle (5)
11 Benefactor (5)
12 Pond scum (5)
13 Type of poplar (5)
17 Actress, Catherine ___-Jones (4)
18 In the middle of (6)
19 Not being quite right (11)

Down

1 Grows crops for a living (5)
2 Shadow seen during an eclipse (5)
3 Creative activities (4)
4 Brain cells (7)
5 Incident (7)
9 16th-century German portraitist (7)
10 Body of troops (7)
14 Priest (5)
15 Short letters (5)
16 Magnesium silicate (4)

Crossword 90

Across

1 Print again (9)
8 Disentangle (5)
9 Water tubes (5)
10 Big impression (6)
12 Style of dance (4)
14 Mechanical and repetitive (4)
15 Mass times gravity (6)
17 Emerald or aquamarine, eg (5)
18 Fight (3-2)
20 Place of learning (9)

Down

2 Phone-system number (abbr.) (3)
3 Apprehensive (6)
4 Edges (4)
5 Young tree (7)
6 Sign up for regular copies of a publication (9)
7 Claim (9)
11 To the side (7)
13 Minor (6)
16 Trees of the genus *Ulmus* (4)
19 Deuce (3)

Crossword 91

Across

1 The upper portion of the back (9)
7 Exit (5)
8 Focused (5)
10 Encounter (4)
11 Musical motifs (6)
14 Chows down (6)
15 Three people (4)
17 Command (5)
19 Occur (5)
20 A set of foundation stories (9)

Down

2 Skies (7)
3 Utilizes (4)
4 Losses of life (6)
5 Dashboard read-out (init.) (3)
6 Pink, tropical, wading bird (8)
9 Detect (8)
12 Period begun at midnight (7)
13 Quest (6)
16 Formal social dance (4)
18 Home decorating (init.) (3)

Crossword 92

Across

3 Conceal (5)
6 Biblical betrayer (7)
7 Provide with weapons again (5)
8 Swindle (5)
9 Advanced science degree (abbr.) (1,2)
11 Poisonous (5)
13 Chief town dignitary (5)
15 Trigonometry function (abbr.) (3)
18 Sharp (5)
19 Be alive (5)
20 Eight-legged sea creature (7)
21 Association of workers (5)

Down

1 Electronic dance genre (6)
2 Of very great size (7)
3 Church-rite oil (6)
4 Calf meat (4)
5 Man-made slope (4)
10 Become popular (5,2)
12 Soft fabric (6)
14 Choose not to participate (3,3)
16 Male admirer (4)
17 Noon, in French (4)

Crossword 93

Across
1 Intensity of heat (11)
7 Bring something up? (4)
8 Ticketing (6)
9 Very small person (5)
10 Taut (5)
13 Vulgar (5)
15 Lawn (5)
17 Relaxed (2,4)
18 Days before occasions (4)
19 Walkers (11)

Down
2 Authorize (7)
3 Electrified (7)
4 Sport officials (4)
5 Operating, as in machinery (5)
6 Two cubed (5)
11 Jewish-state resident (7)
12 Ex-celebrity (3-4)
13 Muscle pain (5)
14 Throw into confusion (5)
16 Man (4)

Crossword 94

Across
1 Model used for testing (4-2)
4 Deed (4)
6 Abandon, as on an island (6)
7 Fetches (4)
8 Earliest (6)
11 Inflamed skin condition (4)
12 Elitist (4)
13 Materialize (6)
16 Wrongs (4)
17 Take a firm stand (6)
18 Dipped in yolk (4)
19 Went out (6)

Down
1 Rumba-like Latin-American dance (5)
2 Minded (5)
3 Piercing (11)
4 Vehicle light used in misty conditions (3,4)
5 Receiver (7)
9 Joining (7)
10 Mission (7)
14 Remove from a house (5)
15 Gave five stars, perhaps (5)

Crossword 95

Across

1 Promise on the Bible, eg (5,2,4)
7 Barely get by (3)
8 Accumulation (7)
9 Group of cooperative sports players (4)
10 Worldwide (6)
13 Lots and lots (6)
14 Resonant sound of a large bell (4)
16 Italian rice dish (7)
18 Cereal plant (3)
19 Distorted (11)

Down

1 Visual audio plot (11)
2 Green jewel (7)
3 Takes unlawfully (4)
4 Pleasantly (6)
5 Pointed instrument (3)
6 Made visually prominent (11)
11 Large, lavish meal (7)
12 In a state of disrepair (4-2)
15 Carbonized fuel (4)
17 Male offspring (3)

Crossword 96

Across

1 Social dining occasion (6,5)
7 Frightened (6)
8 Summit (4)
9 Orbit (5)
11 Condemns (5)
13 Key (5)
14 Many-headed legendary snake (5)
16 Make into a bundle (4)
18 Meaningless words (3,3)
20 Qualification document (11)

Down

2 Contaminates (7)
3 Agreement not to reveal secrets (init.) (3)
4 Clarets, eg (4)
5 Comparison (7)
6 Day after Mon (abbr.) (3)
10 Gift (7)
12 Communist (7)
15 Professional cook (4)
17 Beer (3)
19 Gentle affection (init.) (3)

Crossword 97

Across
1 Strange events (9)
7 Mathematical negative (5)
8 Rates (5)
10 Pleasant, gentle accent (4)
11 Compact mountain group (6)
14 Circle of light (6)
15 Summit of a hill (4)
17 Sacrosanct (5)
19 Elector (5)
20 Weak; feeble (9)

Down
2 Animal trainer (7)
3 Upfront facial feature (4)
4 Shared (6)
5 Veto (3)
6 Tacit (8)
9 Computer programs (8)
12 Extend (7)
13 Free animals from a harness (6)
16 Rounded and slightly elongated (4)
18 Storage container (3)

Crossword 98

Across
3 Procreate (5)
6 Region of ancient Palestine (7)
7 Wrath (5)
8 Alpha's counterpart (5)
9 Gym unit (3)
11 Parody (5)
13 All set (5)
15 Barnyard sound (3)
18 Avoids work (5)
19 Multitude (5)
20 Communicates with gestures (7)
21 Really good (5)

Down
1 Prepare for exercise (4,2)
2 Realm (7)
3 Dam-building rodent (6)
4 Tense (4)
5 Absence of light (4)
10 Imminent (7)
12 Large wood (6)
14 Intensely (6)
16 Muffled engine sound (4)
17 Genuine (4)

Crossword 99

Across
1 Noisy grass insect (6)
4 Chafes (4)
8 Observed (7)
9 Female deer (3)
10 Sudden attack (4)
11 Code word for 'S' (6)
13 Circus tent (3,3)
14 Unit of distance (4)
16 Cuddly toy (abbr.) (3)
17 Bestial (7)
18 Lively folk dance (4)
19 Inhibition (4-2)

Down
1 Donor (11)
2 Highly advanced (7-4)
3 Conduit (4)
5 Pledge (11)
6 Management (11)
7 Concede (5)
12 Type of frozen dessert (5)
15 Chrysalis-stage insect (4)

Crossword 100

Across
1 Taking-in (10)
7 The East (6)
8 Cutting tools (4)
9 Rampages (5)
11 Treat (5)
13 Shrek and family? (5)
14 Type; variety (5)
16 Frighten off (4)
18 Biochemical tests (6)
20 Four-way junction in a road (10)

Down
2 Shouting commands (7)
3 Be in debt (3)
4 Lays (4)
5 Concisely (2,5)
6 At once (3)
10 Diva's voice effect (7)
12 Late (7)
15 Body of matter with no definite shape (4)
17 Drinker's accidental sound (3)
19 Website design technique (init.) (3)

Crossword 101

Across

1 Thorough investigation (11)
6 More advanced in age (6)
7 True life (4)
8 Outline drawing (5)
11 Trainee (5)
12 Cunningly (5)
13 Type of cereal plant (5)
17 Tropical tuber (4)
18 Reside in (6)
19 Wasteful (11)

Down

1 Alleviated (5)
2 Bamboo-eating animal (5)
3 Lightly cooked, if meat (4)
4 Via (7)
5 Egg-shaped wind instrument (7)
9 Become aware of again (7)
10 Drop away (4,3)
14 Evade (5)
15 Lovers' meet-up (5)
16 Round, griddled bread (4)

Crossword 102

Across

7 Bullion deposits in a central bank (4,7)
8 Flowering bedding plant (7)
9 Nintendo console (init.) (3)
10 Everest, eg (5)
12 Midday meal (5)
13 Tendon injury (init.) (3)
14 Quits a job (7)
16 Restorative; healing (11)

Down

1 Gather together (11)
2 Soft, loose flesh (4)
3 The working class (11)
4 Sets up (11)
5 Source (6)
6 Branch of philosophy (11)
11 Conjoined (6)
15 Severe black fashion style (4)

Crossword 103

Across
1 Lack of ability (11)
7 Grumpy (3-8)
8 Certainly (11)
13 A wish that is unlikely to come true (7,4)
18 Make room for (11)
20 Informal; relaxed (4,3,4)

Down
2 Ink mark (5)
3 Bingo (5)
4 Phone ID card (init.) (3)
5 Nephew's sister (5)
6 Purloin (5)
9 TiVo, eg (init.) (3)
10 ET's ship (init.) (3)
11 Darken the skin (3)
12 Twosome (3)
14 Happen (5)
15 Slack (5)
16 Boundary shrubs (5)
17 Green strokes (5)
19 Adult males (3)

Crossword 104

Across
1 Restoring (11)
7 Benevolent (6)
8 Hurting all over (4)
9 Fasten (5)
11 Popular gadget magazine (5)
13 Love (5)
14 Consent (5)
16 Singing voice (4)
18 Madden (6)
20 Stupefying munition (4,7)

Down
2 Lived (7)
3 Kate Winslet's husband, Rocknroll (3)
4 Lego and Barbie (4)
5 Drawing over (7)
6 'I'll pass' (3)
10 Animated drawing (7)
12 Appeared (7)
15 Twelve months (4)
17 Tennis replay (3)
19 Oversaw (3)

Crossword 105

Across
1 Exploited (6)
4 Fish's breathing organ (4)
8 Becomes expert in (7)
9 Computer circuit board (init.) (3)
10 Opposite of yep (4)
11 Diversion (6)
13 Haphazard growth (6)
14 Showreel (4)
16 Head-and-neck surgery, briefly (init.) (3)
17 Pointless (7)
18 Edge (4)
19 Extremely dirty (6)

Down
1 Metes out (11)
2 Remaining joined together (11)
3 Always (4)
5 Upgrade (11)
6 With great effort (11)
7 Very pale, as with fright (5)
12 Really terrible (5)
15 The Abominable Snowman (4)

Crossword 106

Across
1 Experts (11)
7 Fleet of warships (6)
8 Tumble (4)
9 Just the one time (4)
10 Connected (6)
13 Void (6)
16 Lower jaw (4)
17 Produces an egg (4)
18 Mostly useless information (6)
19 Deceitful spy (6,5)

Down
2 Carnivorous South American fish (7)
3 French castle (7)
4 Even a little bit (2,3)
5 Loose (5)
6 Raw vegetable dish (5)
11 Cutting slightly (7)
12 Omission (7)
13 Legitimate (5)
14 South American rodent (5)
15 Non-reflective paint finish (5)

Crossword 107

Across

1 Commemorate (9)
7 First NATO phonetic letter (5)
8 Ensigns (5)
10 Dreadful (4)
11 Computer-based video recorder (6)
14 A chocoholic, eg (6)
15 Conceited (4)
17 Neat and tidy (5)
19 Alternate (5)
20 Fraudulent (9)

Down

2 Kicked the bucket (7)
3 Red-wax-coated cheese (4)
4 Automatic reaction (6)
5 Ceylon, eg (3)
6 Ant-eating African mammal (8)
9 Conference sessions (8)
12 Collides (7)
13 Put an end to (6)
16 Thug (4)
18 Japanese girl's name (3)

Crossword 108

Across

1 The Indian film industry (9)
8 Criminal fire-starting (5)
9 Timepiece (5)
10 Revolve (6)
12 Flour grinder (4)
14 Large edible fish (4)
15 Plot (6)
17 'And there you go!' (5)
18 Pluck a guitar string (5)
20 Concerns (9)

Down

2 Surgical procedures (abbr.) (3)
3 Duration (6)
4 Blows away (4)
5 Silhouette (7)
6 Story (9)
7 Test (9)
11 Stress (7)
13 Tool for cutting grass (6)
16 'I win', in chess (4)
19 Computer key (3)

Crossword 109

Across
1 Relating to water (7)
5 Crime series with many spin-offs (init.) (3)
7 Drink some liquid (7)
8 Greek pastoral god (3)
9 Alcoholic drink (4)
10 Be of the same opinion (6)
12 Noon (6)
13 Flower's support (4)
15 The tip of a pen (3)
16 Motors (7)
17 Opposite of he? (3)
18 Peculiarity (7)

Down
1 Grants (11)
2 Inescapable (11)
3 Snitched (4)
4 Cattle herder (6)
5 Measurement in farads (11)
6 Know-nothings (11)
11 Fall into the habit of (4,2)
14 Got older (4)

Crossword 110

Across
1 Gain consciousness (4,2,4)
7 Measuring instruments (6)
8 Pretend (4)
9 Sharp slap (5)
11 Recording (5)
13 Single things (5)
14 Betraying no emotion (5)
16 Sliding window frame (4)
18 A bond held pending a condition (6)
20 Procreates (10)

Down
2 Supply too many staff (7)
3 Flock member (3)
4 Remove from office (4)
5 Impose, as in a punishment (7)
6 Large-horned deer (3)
10 Draw level (5,2)
12 Perfect example (7)
15 Forbid (4)
17 We breathe this to stay alive (3)
19 Computer's brain (init.) (3)

Crossword 111

Across
1 Softly (7)
5 Large, edible sea fish (3)
7 Senior educational degree (2,1)
8 Type of songbird (7)
9 Clock's 'tick' counterpart (4)
10 Build a temporary shelter (6)
12 Choosing (6)
13 Resentment (4)
15 Seclude (7)
16 Word of support? (3)
17 Astronaut, Grissom (3)
18 Pamphlet (7)

Down
1 Interrogating (11)
2 Signs (11)
3 Trial (4)
4 Has a desire (6)
5 Post-performance appearance (7,4)
6 Deposit (4,7)
11 Imply (6)
14 Soft, white cheese (4)

Crossword 112

Across
3 Gush forth (5)
6 Hostile (7)
7 Hearten (5)
8 Flush with water (5)
9 'I will return soon' (init.) (3)
11 Malevolent spirit (5)
13 Enthusiastic (5)
15 Property identifiers (abbr.) (3)
18 Newly made (5)
19 *Monster* actress, Christina (5)
20 Rifle or pistol (7)
21 Fop (5)

Down
1 Regard with respect (6)
2 Edition (7)
3 Safe (6)
4 No longer new (4)
5 Long-winged aquatic bird (4)
10 Impediment (7)
12 Inform (6)
14 Guarantee (6)
16 Actor, Pitt (4)
17 Software identifier (4)

Crossword 113

Across
1 Level, as in a race (4,3,4)
7 Invalidated (6)
8 Small fish with sucker (4)
9 Witchcraft (5)
11 Vertiginous (5)
13 Hard, solid rock (5)
14 Borders (5)
16 Consequently (4)
18 Pulverize (6)
20 Chance (11)

Down
2 Excessively conceited person (7)
3 Child (3)
4 Agrees with the head (4)
5 Logically inverted (7)
6 Male swan (3)
10 With motion, musically (3,4)
12 Component part (7)
15 Rotisserie rod (4)
17 Criticize sharply (3)
19 Earned (3)

Crossword 114

Across
1 Rashly (11)
6 Eavesdrop (6)
7 Loaned (4)
8 Philatelist's item (5)
11 Cancel (5)
12 Wryly amusing contradictions (5)
13 Keyed in (5)
17 Baseball glove (4)
18 Many-tiered temple (6)
19 Borrowed reading material (7,4)

Down
1 Cays (5)
2 Spaghetti, eg (5)
3 Lower-arm bone (4)
4 Unfortunate (7)
5 Series of joins (7)
9 End points (7)
10 Mutant (7)
14 Camera image (5)
15 Imbibed (5)
16 Prompt (4)

Crossword 115

Across
1 Forward-looking (10)
7 Asylum seeker (6)
8 Competes (4)
9 Anxiety (5)
11 Farewell (5)
13 Evident (5)
14 Common European viper (5)
16 Pull with a jerk (4)
18 Not dressed (6)
20 Old-school pharmacist (10)

Down
2 Titular (7)
3 'That's crazy!' (init.) (3)
4 Impressed (4)
5 Attacked a country (7)
6 It's surrounded by lashes (3)
10 Continue doing (5,2)
12 Outside; unenclosed (4,3)
15 Luxuriant (4)
17 Blind __ _ bat (2,1)
19 Propellant gas (init.) (3)

Crossword 116

Across
1 Recipe components (11)
7 Large, round, green or purple vegetable (7)
8 Share profit, eg (init.) (3)
9 Inhabitants (6)
11 Mother (4)
13 Young troublemaker (4)
14 Wild animal viewing (6)
16 Gives permission to go ahead (abbr.) (3)
17 Decorative paper-folding art (7)
19 Critically (11)

Down
1 Ruthlessly (2,4,5)
2 Idle talk (3)
3 Make possible (6)
4 Covers with sugary coating (4)
5 Final Buddhist goal (7)
6 Aptness (11)
10 Teaching groups (7)
12 Pretentious (2-2-2)
15 Bird of peace (4)
18 Playing card '1' (3)

Crossword 117

Across
3 Kingdom (5)
6 Document repository (7)
7 Before all the others (5)
8 Twists (5)
9 Text chat digression (init.) (3)
11 Modern Persian tongue (5)
13 Computer bug (5)
15 Finale (3)
18 Poppy-derived narcotic (5)
19 Major mix-up, informally (5)
20 Photographic equipment (7)
21 Quiet; calm (5)

Down
1 Emotional shock (6)
2 Mandarin (7)
3 Prove to be false (6)
4 Ethereal (4)
5 Mongrel (4)
10 Food packaging (7)
12 Stimulate (6)
14 Connected with vision (6)
16 'Hurry!' (init.) (4)
17 Park boundary ditch (2-2)

Crossword 118

Across
1 Tongues (9)
8 A shape associated with love (5)
9 Charges per periods (5)
10 Pulled the leg of (6)
12 Second Greek letter (4)
14 Make a copy of (4)
15 Triumphant exclamation (6)
17 Penned (5)
18 Zest (5)
20 War shout (6,3)

Down
2 Otherwise going by the name of (init.) (3)
3 Amass (6)
4 Early Michael Jackson hairstyle (4)
5 Outer limit (7)
6 Drug bust, perhaps (9)
7 Powered stairs (9)
11 Certificate (7)
13 Tropical forest (6)
16 Retained; possessed (4)
19 Knight's title (3)

Crossword 119

Across

1 Contrary (11)
7 Fresh-food shop (4)
8 Duo (6)
9 Put a ship out of use (3,2)
10 Gulf (5)
13 Relating to bygone times, archaically (5)
15 Pummel dough (5)
17 Develop over time (6)
18 Appends (4)
19 Easily influenced (11)

Down

2 Generally (7)
3 Dud (7)
4 South American native (4)
5 Suggest (5)
6 Conjecture (5)
11 Bangladeshi language (7)
12 Outrage (7)
13 Auguries (5)
14 Portals (5)
16 Retain (4)

Crossword 120

Across

1 Times after morning (10)
7 Lives (6)
8 Hogwash (4)
9 Collide (5)
11 More competent (5)
13 Heavily built (5)
14 Zagreb native (5)
16 Long song for a soloist (4)
18 Getaway (6)
20 Herbicide (10)

Down

2 Code word for 'F' (7)
3 Canon SLR camera system (init.) (3)
4 Egg-laying location (4)
5 Tenth month (7)
6 UK intelligence agency (init.) (3)
10 Frankfurter (7)
12 Specimen (7)
15 Expression of dismay (4)
17 Uncooked (3)
19 NCO rank (abbr.) (3)

Crossword 121

Across

1 Progeny (9)
7 Outfits (5)
8 Barely enough (5)
10 Reveals; exposes (4)
11 Canada's oldest city (6)
14 No matter what (6)
15 Narrate (4)
17 His or her (5)
19 Egyptian crosses (5)
20 Very typical example (9)

Down

2 Initially (7)
3 Just about acceptable (2-2)
4 Save (6)
5 Knicks and Lakers league (init.) (3)
6 Unlettered (8)
9 Insensitive (8)
12 Split with a partner (5,2)
13 An interval of five semitones (6)
16 Verruca (4)
18 Stray (3)

Crossword 122

Across

1 Comprises (11)
7 Acquire (6)
8 Repeating program code (4)
9 Motionless (5)
11 Tropical trees (5)
13 Engages in fun (5)
14 Glowed (5)
16 Brick oven (4)
18 Back-of-mouth passage (6)
20 Ran into (11)

Down

2 Relating to a circular path (7)
3 Mineral spring (3)
4 Charged atoms (4)
5 Let loose (7)
6 Id counterpart (3)
10 Berate (3,4)
12 Official order (7)
15 Envelope delivery instruction (abbr.) (4)
17 Place to spend the night (3)
19 Small deer (3)

Crossword 123

Across
1 It spans from the Atlantic to the Pacific (7)
5 Dandy (3)
7 Feathered neckwear (3)
8 Verbally attack (3,4)
9 Animal flank (4)
10 Not sporting (6)
12 Tooth covering (6)
13 Apportion, with 'out' (4)
15 Copy (7)
16 Liqueur, ___ Maria (3)
17 Military leader (abbr.) (3)
18 Show (7)

Down
1 Making someone more courageous (11)
2 The act of becoming aware of something (11)
3 Baronets (4)
4 Add on (6)
5 Of central importance (11)
6 Relating to ownership (11)
11 Pay-off (6)
14 Golf-ball rests (4)

Crossword 124

Across
1 With awe (11)
7 Wig material (4)
8 As tiny as can be (6)
9 Music and sound in general (5)
10 Eight-person choir (5)
13 Exodus plague (5)
15 Supple (5)
17 Erase (6)
18 World's longest river (4)
19 Personal items (11)

Down
2 Less transparent (7)
3 Cherished (7)
4 Wander (4)
5 Entire spectrum (5)
6 Marina vessel (5)
11 Tuscan red wine (7)
12 Organizational level (7)
13 Had enough; frustrated (3,2)
14 Stares lecherously (5)
16 Beauties (4)

Crossword 125

Across
1 Female partner (10)
7 Able to cause loss of life (6)
8 Carried out a hit on (slang) (4)
9 Window material (5)
11 Walked back and forth (5)
13 Common false beliefs (5)
14 Letter after eta (5)
16 Burn some meat, perhaps (4)
18 Border (6)
20 Early Christian offshoot (10)

Down
2 In a perfect world (7)
3 Covering (3)
4 Shafts of light (4)
5 'In memoriam' words (7)
6 Expected (3)
10 Playful composition (7)
12 Ingresses (7)
15 Soot particle (4)
17 Unattractive old woman (3)
19 Legendary bird (3)

Crossword 126

Across
1 University teachers (9)
7 Erased (5)
8 Point of rotation (5)
10 Cause permanent damage (4)
11 Not have the same traits (6)
14 In truth; absolutely (6)
15 Italian hi and bye (4)
17 Donates (5)
19 Actors' words (5)
20 Most constricted (9)

Down
2 Drained (7)
3 Rising and falling of the sea (4)
4 Mend (6)
5 Priest (abbr.) (3)
6 Overwhelming (8)
9 Slow-moving reptile (8)
12 Buddies (7)
13 Old Faithful, eg (6)
16 Ruined (4)
18 Going through (3)

Crossword 127

Across
1 Workings (9)
8 Fossilized resin (5)
9 Glow; glimmer (5)
10 Admission (6)
12 Celebrity (4)
14 Crushing loss (4)
15 Exchanges (6)
17 Maddening (5)
18 Large shop (5)
20 Trademark (5,4)

Down
2 Decline (3)
3 Unorthodoxy (6)
4 Annoys with persistent fault-finding (4)
5 Made (7)
6 Brief section of text (9)
7 Engenders admiration and respect (9)
11 Warship (7)
13 Emerged (6)
16 Religious song (4)
19 Unit of electrical resistance (3)

Crossword 128

Across
1 A connected relationship between things (11)
6 Sweet, chewy apple coating (6)
7 Strokes gently (4)
8 Plants grow from them (5)
11 Rub vigorously (5)
12 Monks' building (5)
13 Glorify (5)
17 Greek rainbow goddess (4)
18 Group of competing teams (6)
19 Game console operators (11)

Down
1 Quotes (5)
2 Firearm (5)
3 Untruths (4)
4 Normal (7)
5 Yields (7)
9 Official trade ban (7)
10 Recessed (4-3)
14 Large bird of prey (5)
15 Dance moves (5)
16 Furry, red Muppet monster (4)

Crossword 129

Across
1 Troop assembly point (5,2,4)
7 Leg joint (4)
8 Surroundings (6)
9 Post (5)
10 Vinegar and lemon juice (5)
13 Digitally captures a document (5)
15 Type of keyboard instrument (5)
17 Bothering (6)
18 Checks out (4)
19 Study of digital circuits (11)

Down
2 Crazy person (7)
3 Airport registration process (5,2)
4 Units represented by an omega (4)
5 Healing-hands therapy (5)
6 Spirits (5)
11 Movable residence (7)
12 Severe (7)
13 Connected hotel rooms (5)
14 Joint above the foot (5)
16 Seaweed-based food thickener (4)

Crossword 130

Across
1 Not precisely given (11)
7 Allot (6)
8 Straddling (4)
9 Kitchen essentials (5)
11 Reel (5)
13 Outer part of bread (5)
14 Polled (5)
16 Impartial (4)
18 Implants (6)
20 Very smart and tidy (4-7)

Down
2 Viler (7)
3 Internal PC expansion connector (init.) (3)
4 A hundredth of a dollar (4)
5 Gaffe (4,3)
6 Guitar-based popular music (3)
10 Small falcon (7)
12 Late (7)
15 Scary feeling (4)
17 Had lunch, perhaps (3)
19 The story of someone's life (3)

Crossword 131

Across
1 Tool for gutting cod, eg (4,5)
7 Used to connect floors (5)
8 Burning stick (5)
10 Plucked stringed instrument (4)
11 Of the north (6)
14 Trial (3-3)
15 Surface-to-surface missile (4)
17 Modern ballroom routine (5)
19 Curiously (5)
20 Concerning (2,7)

Down
2 Inappropriately (7)
3 Rent (4)
4 Country (6)
5 A long way (3)
6 Sets apart (8)
9 Vacations (8)
12 Encrypted (7)
13 Merciful (6)
16 Indian style of meditation (4)
18 No longer Miss (3)

Crossword 132

Across
1 Order a drug (9)
8 Olympic decoration (5)
9 Beer units (5)
10 Those shunned by society (6)
12 Swampy ground (4)
14 Prison sentence (4)
15 Twitch (6)
17 Flock of animals (5)
18 Females (5)
20 Acted a part (9)

Down
2 Radiation exposure unit (3)
3 Earnings (6)
4 Fibrous (4)
5 Twisting (7)
6 Breadth; range (9)
7 Avowing (9)
11 Objective (7)
13 Spectator (6)
16 Flick through (4)
19 Iconic Hollywood actress, West (3)

Crossword 133

Across

3 Worries (5)
6 Highly detailed (2,5)
7 Nail-file material (5)
8 Groups of players (5)
9 Native American tribe (3)
11 Informal language (5)
13 Military unit (5)
15 Formerly Portuguese part of India (3)
18 Unhealthily pale (5)
19 Path (5)
20 Track (7)
21 Claw (5)

Down

1 Uncoil (6)
2 Ostensible (7)
3 Acts dishonestly (6)
4 Foul smell (4)
5 Puts into words (4)
10 Uniformly (7)
12 Rule (6)
14 Real (6)
16 Agonize (4)
17 Ponder (4)

Crossword 134

Across

7 Inference (11)
8 Vie (7)
9 Combat (3)
10 A lot (5)
12 Trainee soldier (5)
13 Tin (3)
14 Laid out, as a book (7)
16 Inept person (11)

Down

1 'That was easy' (5,2,4)
2 Allow access to (4)
3 Flexible compromise (4,3,4)
4 Disabled (11)
5 Seen (6)
6 Lack of graciousness (11)
11 It's used for licking (6)
15 Launches legal proceedings against (4)

Crossword 135

Across

1 Entertains (6)
4 Cope (4)
6 Together (2,4)
7 *Star Trek* android (4)
8 Female parent (6)
11 Top of the mouth (4)
12 Indication (4)
13 Tune (6)
16 Closes a metal fastening (4)
17 Choice (6)
18 Exclusively (4)
19 Happenings (6)

Down

1 Established truth (5)
2 Not yet hardened (5)
3 Overlay (11)
4 Related to rule by multiple states (7)
5 A serve must clear it in tennis (3,4)
9 Perspective (7)
10 Integrity (7)
14 Pungent vegetable (5)
15 Jerks (5)

Crossword 136

Across

1 Not wanted (9)
7 Funny (5)
8 Regards (5)
10 Was sorry for (4)
11 Female graduate (6)
14 Crucifixion memorial (6)
15 Sneak a look (4)
17 Sing like a Tyrolean (5)
19 Charged atom or molecule (5)
20 Change the position of (9)

Down

2 Figures (7)
3 Per person (4)
4 Huggable (6)
5 Monsieur counterpart (abbr.) (3)
6 Barely (8)
9 Impressing upon (8)
12 Rendezvous (7)
13 Basement (6)
16 London drama school (init.) (4)
18 Lose a life (3)

Crossword 137

Across
1 As a result (11)
6 Musical dramas (6)
7 Skip (4)
8 Dopey; silly (5)
11 Allege (5)
12 Hot steam room (5)
13 Medications (5)
17 Code word for the letter 'L' (4)
18 Very drunk (slang) (6)
19 Fatty food substance (11)

Down
1 Surrounded by (5)
2 Doctrine (5)
3 Short race (4)
4 More agile (7)
5 Enduring (7)
9 Full of euphoria (2,1,4)
10 Post sent to celebrities (3,4)
14 Pronounce (5)
15 Ruin (5)
16 Bird often seen in hieroglyphics (4)

Crossword 138

Across
1 Important (11)
7 Circles and squares (6)
8 Pulls along (4)
9 Call off (5)
11 Wed (5)
13 Firm (5)
14 Lowest-value British coin (5)
16 High point (4)
18 Get back (6)
20 Island chain (11)

Down
2 Dwell in (7)
3 Sharp bite (3)
4 Unnecessary concern (4)
5 Small, country house (7)
6 Its capital is Sydney (init.) (3)
10 Restore (7)
12 Overseeing, as a company (7)
15 Very short hairstyle (4)
17 Paramedic skill (init.) (3)
19 Imperial unit of volume (abbr.) (3)

Crossword 139

Across
1 Provides greater knowledge to (10)
7 College treasurer (6)
8 Cheats, informally (4)
9 Anomalous (5)
11 Gem holder on a ring (5)
13 Wind instrument (5)
14 Turn of phrase (5)
16 Run away (4)
18 Backlash (6)
20 Putting off to a future time (10)

Down
2 Impartial (7)
3 Usernames (abbr.) (3)
4 Angel's instrument (4)
5 Intellectual (7)
6 Take a small mouthful (3)
10 Deer horns (7)
12 Natural wearing-away (7)
15 Cover in paper (4)
17 Body part for resting a portable computer, perhaps (3)
19 International news channel (init.) (3)

Crossword 140

Across
1 Idyllic time (6,3)
8 Not competent (5)
9 Stories (5)
10 Fluid (6)
12 Fantastical animal prefix (4)
14 Delighted (4)
15 Hoped (6)
17 Drunken woodland god (5)
18 Cart (5)
20 Hugely (9)

Down
2 Binary digit (3)
3 Feature (6)
4 European and US military group (init.) (4)
5 Art exhibition room (7)
6 One who studies living things (9)
7 Rising (9)
11 A discrete amount of energy (7)
13 Moves on hands and knees (6)
16 Large plant with a trunk (4)
19 Apply styling cream to hair (3)

Crossword 141

Across

3 Inspire (5)
6 A Sherpa, perhaps (7)
7 Flow control (5)
8 Warms up (5)
9 Hawaiian guitar, informally (3)
11 Personnel (5)
13 Unoccupied (5)
15 Chinese female force (3)
18 Illustrated (5)
19 Many minutes (5)
20 Musical performance (7)
21 Trunk of a statue (5)

Down

1 Most broad (6)
2 Correct (7)
3 Have recourse to, as in a law (6)
4 Male bovine (4)
5 Sees (4)
10 Hug (7)
12 Debacle (6)
14 Tall, narrow buildings (6)
16 Dram (4)
17 Prickly seed case (4)

Crossword 142

Across

1 Figured out (6)
4 Check mark (4)
6 Thief (6)
7 Roman god of war (4)
8 Northern European sea (6)
11 Movements of the tide out to sea (4)
12 A lion's neck hair (4)
13 Yield (6)
16 Evil; wickedness (4)
17 Within (6)
18 Burden (4)
19 Jerks (6)

Down

1 Bush (5)
2 Defamatory statement (5)
3 Listings (11)
4 Violent storm (7)
5 Large deer (7)
9 Saudi, perhaps (7)
10 Sways back and forth (7)
14 Twosomes (5)
15 Long lock of hair (5)

Crossword 143

Across
1 Amendments (11)
7 Fellow (4)
8 Hard-shelled sea animal (6)
9 Settle a debt (5)
10 In accordance with (2,3)
13 Wanting to scratch (5)
15 Element with atomic number 5 (5)
17 Reliable (6)
18 Travels down a snowy hill, perhaps (4)
19 Matrimonial band (7,4)

Down
2 At the greatest volume (7)
3 Mascara target (7)
4 Opposite of manual (4)
5 Readily available (2,3)
6 Bullock (5)
11 Commercial backer (7)
12 Sentiment (7)
13 Following on behind (2,3)
14 Was able (5)
16 The C in CMYK (4)

Crossword 144

Across
1 Better than (1,3,5)
7 Selected (5)
8 VIP (5)
10 Tempt (4)
11 Pope's envoy (6)
14 Frequently (6)
15 Thin, flexible rope (4)
17 Sat (5)
19 Does not include (5)
20 Physical treatment expert (9)

Down
2 Provided food for (7)
3 Commotion (2-2)
4 Reverse a vehicle (4,2)
5 *Batman* actor, Kilmer (3)
6 Sequel (6-2)
9 Widest (8)
12 Preferences (7)
13 Unpowered aircraft (6)
16 Smack (4)
18 Opposite of north (abbr.) (3)

Crossword 145

Across
1 Two-wheeled road user (7)
5 Stain (3)
7 Fellow (3)
8 Pendulous ornamental shrub (7)
9 Agreement (6)
10 Sulk (4)
12 Fall vertically (4)
13 From oranges or lemons (6)
15 Essential character (7)
16 Obtained (3)
17 Have a go (3)
18 Enforced (7)

Down
1 Biblical law (11)
2 Intentionally (11)
3 Not in good health (6)
4 Convulsive jerks (4)
5 Advises against (11)
6 Stretchable (11)
11 Admit defeat (4,2)
14 Opposed to (4)

Crossword 146

Across
1 Occurrence (9)
8 Conduits (5)
9 Viking (5)
10 Drew a top-down plan (6)
12 At this place (4)
14 Didn't tell the truth (4)
15 Entertained (6)
17 Wine-making fruit (5)
18 Developed (5)
20 Driver's unseen region (5,4)

Down
2 Snatch (3)
3 Flowed out (6)
4 Major periods of geological time (4)
5 Places where walls meet (7)
6 Origin of a word (9)
7 Prosecutor's target (9)
11 Win (7)
13 Likenesses (6)
16 Competitive (4)
19 Lennon's wife (3)

Crossword 147

Across

1 Likelihood (11)
6 Primarily (6)
7 Mountain goat (4)
8 Soaked (5)
11 Go and get (5)
12 Exceptionally small (5)
13 Lopsided (5)
17 Conspire (4)
18 Be at (6)
19 Outstanding (11)

Down

1 Water-raising devices (5)
2 Unpaid (5)
3 Inlets (4)
4 Lingers (7)
5 Sugar syrup (7)
9 Common area of interest (7)
10 Hereditary (7)
14 Solemn bell ring (5)
15 Broader (5)
16 Pop musician, Lady ___ (4)

Crossword 148

Across

1 Execution party (6,5)
7 Elicited (6)
8 Malt beverages (4)
9 Pile (5)
11 Semiaquatic weasel (5)
13 Tally (3,2)
14 Finally understands (5)
16 Liveliness (4)
18 Appoint by force (6)
20 Betray (6-5)

Down

2 Asked over (7)
3 Type (3)
4 Supreme beings (4)
5 City district (7)
6 Wonderment (3)
10 Unit of electric charge (7)
12 Uncovers (7)
15 Fork prong (4)
17 Previous capital of Brazil (3)
19 Golfer's goal? (3)

Crossword 149

Across
1 Informative (11)
7 Reveal (7)
8 Ground-fired missile (init.) (3)
9 Song words (6)
11 Daily fare (4)
13 Sharp punch, informally (4)
14 Sudden fear (6)
16 Car suspension system (init.) (3)
17 Dante's hell (7)
19 Drugs (11)

Down
1 State of balance (11)
2 Standard +0 time zone (init.) (3)
3 Immediately (2,4)
4 Irritates; annoys (4)
5 Placing inside a larger object (7)
6 Constraints (11)
10 Denied (7)
12 Gain (6)
15 Silvery white metal (4)
18 Greek letter representing density (3)

Crossword 150

Across
1 Set of laws (11)
7 The core, as in an idea (4)
8 Artist's room (6)
9 Oneness (5)
10 Open-jawed (5)
13 Explosion (5)
15 Flaw (5)
17 Dominion of states under one ruler (6)
18 Cheap journalist (4)
19 Biasing (11)

Down
2 Everlasting (7)
3 Convicts (7)
4 Secure with a rope (4)
5 New Delhi country (5)
6 Not a single person (2,3)
11 Vivid (7)
12 Large-billed waterbird (7)
13 Censor's sound (5)
14 Popular computer manufacturer (5)
16 Guide (4)

Crossword 151

Across
1 Oppressed (10)
7 Sampled (6)
8 Curved bones attached to the spine (4)
9 Secret supply (5)
11 Relating to the Netherlands (5)
13 Overwhelmingly (2,3)
14 Stipulations (5)
16 Pop or folk, perhaps (4)
18 Not yet digested (6)
20 Over a great distance (3,3,4)

Down
2 Precisely (7)
3 Corporal's superior (abbr.) (3)
4 Musical ending (4)
5 Torment (7)
6 Ritually proclaim as a knight (3)
10 Behave arrogantly (7)
12 Direct instruction (7)
15 Injury caused by fire or heat (4)
17 Inoperative (3)
19 Brawl (3)

Crossword 152

Across
1 Keen-sighted (5-4)
7 Hurt (5)
8 Nectarine (5)
10 Penultimate match (4)
11 Rehearsal (3,3)
14 Small, useful tool (6)
15 Anti-aircraft fire (4)
17 More secure (5)
19 Former Princess of Wales (5)
20 Debated (9)

Down
2 Chagrined (7)
3 Covers (4)
4 Specialist (6)
5 Pilot's prediction (init.) (3)
6 Corridors (8)
9 Jewish festival (8)
12 Free (7)
13 Consisting of verses (6)
16 Poems (4)
18 Intelligence organization (init.) (3)

Crossword 153

Across
1 Cause to fall (5,4)
8 Fewest (5)
9 Exchanges (5)
10 Sight (6)
12 Braided (4)
14 Gym count (4)
15 Part of a larger group (6)
17 Declare (5)
18 Not italic (5)
20 Assured (9)

Down
2 Dietary quantity measure (init.) (3)
3 Thought (6)
4 Fine, dry powder (4)
5 Arms (7)
6 Most intelligent (9)
7 Agreeing (9)
11 Choir voice above alto (7)
13 Rotten; foul (6)
16 Cow's meat (4)
19 Microsoft's web portal (init.) (3)

Crossword 154

Across
1 Company (11)
7 Keeps a supply of (6)
8 Squid juices (4)
9 Robbery (5)
11 Toils (5)
13 Learn bit by bit (5)
14 Bodily sacs (5)
16 Duct for smoke (4)
18 Extents (6)
20 Ascertaining (11)

Down
2 Porridge ingredient (7)
3 Bodybuilding muscle (3)
4 Go quickly; hurry (4)
5 Three-part work (7)
6 Large tree in the beech family (3)
10 From Thailand (7)
12 Meal-preparation room (7)
15 Eve's mate (4)
17 Martial arts actor, Bruce (3)
19 Joke (3)

Crossword 155

Across
3 Fatigued (5)
6 Kingston's island (7)
7 Titled (5)
8 Steakhouse order (1-4)
9 It has 28 days (abbr.) (3)
11 Copper and zinc alloy (5)
13 All-night parties (5)
15 Inflamed eyelid swelling (3)
18 Improbable comedy (5)
19 Jester (5)
20 Requires (7)
21 Goes against (5)

Down
1 Men's hairdresser (6)
2 Insanity (7)
3 Roam (6)
4 Food given to poor people (4)
5 *Star Wars* Jedi master (4)
10 Nutty (7)
12 Seating areas (6)
14 Encipher (6)
16 Plant fungal disease (4)
17 Ancient British neckband (4)

Crossword 156

Across
1 Creativity (11)
7 Small songbird (4)
8 From one side to the other (6)
9 Provisional certificate of money (5)
10 Short, pastoral poem (5)
13 Horizontal (5)
15 Perhaps (5)
17 Pester (6)
18 Group of animals (4)
19 Basically (11)

Down
2 Act of God (7)
3 Real (7)
4 Carefully arranged (4)
5 White piano keys were once made of this (5)
6 Rhinal (5)
11 Former Greek monetary unit (7)
12 Left-leaning (7)
13 Thrust (5)
14 Looks at (5)
16 Pre-Roman inhabitant of Europe (4)

Crossword 157

Across
1 Be destroyed by fire (2,2,2,5)
6 Allege (6)
7 Secluded corner (4)
8 Little song (5)
11 Penniless (5)
12 Involving a third dimension (5)
13 Ice-skate support (5)
17 Bargain (4)
18 Toasted Italian sandwiches (6)
19 Its capital is Bismarck (5,6)

Down
1 Magnificent (5)
2 Overturn (5)
3 Scores a goal (4)
4 Mutt (7)
5 Rapped on a door (7)
9 Within the womb (2,5)
10 Three of a kind (7)
14 Compadre (5)
15 Eva Perón (5)
16 Raced (4)

Crossword 158

Across
1 Flicker (6)
4 Small bunch of flowers (4)
6 Egyptian language (6)
7 Casually (4)
8 Floating-balloon gas (6)
11 Diplomacy (4)
12 Horse's gait (4)
13 Finishing (6)
16 Right to a property to cover a debt (4)
17 Braking parachute (6)
18 Messes up (4)
19 Dogmatic decree (6)

Down
1 Grind teeth (5)
2 Follow after (5)
3 Suggested (11)
4 Decorated (7)
5 Microchip element (7)
9 Before now (7)
10 Means (7)
14 Metal block (5)
15 Visitor (5)

Crossword 159

Across
1 Panorama (9)
8 Vast body of salt water (5)
9 Swedish currency unit (5)
10 Become unhappy (6)
12 Noise made by a donkey (4)
14 Remainder (4)
15 Affection; kindness (6)
17 Rage (5)
18 New Zealand indigenous person (5)
20 Preparedness (9)

Down
2 Copy (3)
3 Refused (6)
4 Breadlike pastry (4)
5 Computer software (7)
6 Build (9)
7 Recliner (4,5)
11 Illness (7)
13 Material wealth (6)
16 Expert in a technical field, informally (4)
19 Has too many drugs (abbr.) (3)

Crossword 160

Across
3 Arm joint (5)
6 Impossible situation (7)
7 Firm and crunchy (5)
8 Gravelly (5)
9 No longer working (abbr.) (3)
11 Test TV show (5)
13 Spooky (5)
15 Continue to pester (3)
18 Metaphorical expression (5)
19 Banishment (5)
20 Knowledge obtained by experiment (7)
21 Exhausted (5)

Down
1 Italian sausage variety (6)
2 Parody (7)
3 Fire up (6)
4 Onboard prison (4)
5 Cried (4)
10 Magnitudes (7)
12 Least wild (6)
14 Collision (6)
16 Musical scales (4)
17 Ready to eat (4)

Crossword 161

Across
1 Deletion key (9)
7 Tugs (5)
8 Black-and-white horse? (5)
10 Ornamental church partition (4)
11 Pieces of grass (6)
14 Debt or obligation evader (6)
15 Molecular unit of heredity (4)
17 Not drunk (5)
19 Intact (5)
20 Assembly (9)

Down
2 In total (3,4)
3 Slight touch of a ball, in pool (4)
4 Sudoku, maybe (6)
5 Taxi (3)
6 Improves (8)
9 Replied (8)
12 Subside (3,4)
13 Fireplace floor (6)
16 Pitcher (4)
18 Sheep's sound (3)

Crossword 162

Across
1 Secondary results (2-8)
7 Pillage (6)
8 Impudence (4)
9 Light bite (5)
11 Pimpled (5)
13 Appended (5)
14 Possessed (5)
16 Of the same type (4)
18 Ruler (6)
20 Puts into practice (10)

Down
2 Longed for (7)
3 Cape Town country (init.) (3)
4 Consider (4)
5 Moneymaking investment (4,3)
6 Morse code emergency (init.) (3)
10 Take all the profit (5,2)
12 World's highest mountain (7)
15 Floating ice field (4)
17 Japanese carp (3)
19 Mature (3)

Crossword 163

Across

7 How movable something is (11)
8 Closest (7)
9 Leonardo, familiarly (3)
10 Edible, freshwater fish (5)
12 One having lunch, perhaps (5)
13 Early formatted-text document type (init.) (3)
14 Guarantees (7)
16 Trendy (11)

Down

1 Extravagant purchaser (11)
2 Width times length (4)
3 Bracket (11)
4 Upsetting (11)
5 Short, purple-flowered plant (6)
6 Claims of virtuousness while doing otherwise (11)
11 Uncouth (6)
15 Red precious stone (4)

Crossword 164

Across

1 Citing (11)
7 Former Italian currency unit (4)
8 Type of Indian dish (6)
9 Young women (5)
10 Horse (5)
13 Simple ear adornments (5)
15 Jab (5)
17 Consume (6)
18 Death; destruction (4)
19 Regions (11)

Down

2 Snob (7)
3 Made possible (7)
4 TV equivalent of an Oscar (4)
5 Likeness (5)
6 Sentry (5)
11 Storm noise (7)
12 Surround (7)
13 Stretch (5)
14 Dark-brown pigment (5)
16 To avoid the risk that (4)

Crossword 165

Across
1 Except if (6)
4 Items laid by birds (4)
6 Weeping (6)
7 Denim (4)
8 Sovereign's seat (6)
11 Belonging to the listener (4)
12 Rich cloth covering (4)
13 Walk like a baby (6)
16 Circular band (4)
17 The oldest English-speaking university (6)
18 War-loving fantasy creatures (4)
19 Earlier (6)

Down
1 Full-length (5)
2 Stratum (5)
3 Proposals (11)
4 Liked (7)
5 In small steps (7)
9 Weighing more (7)
10 Does as requested (7)
14 Submerge (5)
15 Tribal leader (5)

Crossword 166

Across
1 Self-important display (9)
8 Reversed (5)
9 Satisfies (5)
10 Tabs (6)
12 Sandwich dressing (4)
14 Absorb text (4)
15 Absorb food (6)
17 Large marine mammal (5)
18 Reject with contempt (5)
20 Proscribed (9)

Down
2 Definitive British dictionary (init.) (3)
3 Table-tennis bat (6)
4 Cesspool (4)
5 Adolescent (7)
6 Adult (4-5)
7 Classifying (9)
11 Bluster (7)
13 Unfairly prejudiced (6)
16 Parsley or sage (4)
19 Exploit (3)

Crossword 167

Across
1 Having the same meaning (10)
7 Happily (6)
8 Written material (4)
9 Piece of cake? (5)
11 Spry (5)
13 Prolonged pain (5)
14 Informer (5)
16 Government adviser (4)
18 Baby (6)
20 Smugly virtuous person (5-5)

Down
2 Large piece of wood burned at Christmas (4,3)
3 Funny (3)
4 Up and down toy (2-2)
5 Eight-sided shape (7)
6 Big-band instrument (3)
10 Spirited, as a musical direction (3,4)
12 Erudite (7)
15 Large, showy flower (4)
17 Sharp turn (3)
19 To be seen by the given person (init.) (3)

Crossword 168

Across
1 Ridiculous person (6,2,3)
6 Paradise (6)
7 Morays, eg (4)
8 Terror (5)
11 Later in time (5)
12 Foot-operated lever (5)
13 Vigorous attack (5)
17 User-edited web reference (4)
18 Make tidy (6)
19 Round brackets (11)

Down
1 Dowdy woman (5)
2 Grumble (5)
3 Test (4)
4 Irritable (7)
5 Least beautiful (7)
9 Continent that straddles the Pacific and Atlantic oceans (7)
10 Envisage (7)
14 Tiny bits (5)
15 Regions (5)
16 Nautical speed unit (4)

Crossword 169

Across

3 Tribal leader (5)
6 Porch (7)
7 Odometer units (5)
8 Massive (5)
9 Some law degrees (abbr.) (3)
11 Steering device (5)
13 'Delicious!' (5)
15 Speck (3)
18 Incident (5)
19 Strongly desire (5)
20 Use again (7)
21 Doesn't go (5)

Down

1 Burnish (6)
2 Rendered senseless (7)
3 Abide by (6)
4 Troubles (4)
5 Aquatic vertebrate (4)
10 Studies (7)
12 Decreases (6)
14 Ruin, as in a piece of music (6)
16 Deeds (4)
17 Kanji counterpart (4)

Crossword 170

Across

1 Computer power-up prediction (6,3)
7 Repulse (5)
8 Change (5)
10 Chopped (4)
11 Hesitates (6)
14 Be rude (6)
15 Aim; desired result (4)
17 Participate (5)
19 Put on (5)
20 Colon, maybe (9)

Down

2 Persecute (7)
3 Peeve (4)
4 Being one-dimensional, as of a quantity (6)
5 'Roses ___ red' (3)
6 Arrange (8)
9 Exhibits (8)
12 Eighth sign of the zodiac (7)
13 Mass prayer (6)
16 Narcotic sedative drink (4)
18 Golf-ball support (3)

Crossword 171

Across
1 Next to (9)
8 Appropriate (5)
9 Buffet car (5)
10 Not present (6)
12 Refer to a passage (4)
14 Decree (4)
15 Amylase or protease, eg (6)
17 Sneering (5)
18 Relating to the sun (5)
20 Acquaint (9)

Down
2 Take in tow (3)
3 Making a record of (6)
4 Froth (4)
5 Concentration (7)
6 Morning meal (9)
7 Make instant coffee, eg (6-3)
11 Transport stopping place (7)
13 New (6)
16 Equal (4)
19 *The Fifth Element* director, Besson (3)

Crossword 172

Across
1 Sets up (10)
7 Remorse (6)
8 Advisor (4)
9 Muscular (5)
11 Examine (5)
13 Blazing, literally (5)
14 Intellectually pretentious person (5)
16 P, in the NATO phonetic alphabet (4)
18 Foreign nanny (2,4)
20 Falsely claiming (10)

Down
2 In a normal state of mind (7)
3 Type of conifer (3)
4 Intestines (4)
5 Attains (7)
6 Sorrowful (3)
10 Prohibited (7)
12 Warning (7)
15 Smog (4)
17 Biblical snake (3)
19 School of whales (3)

Crossword 173

Across

1 Home confinement (5,6)
6 Confidential information (6)
7 Wagon (4)
8 Make a promise (5)
11 Bare (5)
12 Delete (5)
13 Break (5)
17 *Lord of the Rings* actor, Bean (4)
18 Extreme experience (6)
19 Unstable and aggressive people (11)

Down

1 Masters of ceremonies (5)
2 Parent's brother (5)
3 Insect colony dwellers (4)
4 Obtain the return of (7)
5 Partitions (7)
9 Employees, eg (7)
10 Popular poison, in literature (7)
14 Skilled (5)
15 Large rooms (5)
16 Crazy, informally (4)

Crossword 174

Across

3 Large case (5)
6 Nurture and care for (7)
7 Spread of values (5)
8 Microsoft co-founder, Bill (5)
9 Material thrown from a volcano (3)
11 Small, poisonous snake (5)
13 Educate (5)
15 Ready (3)
18 Bound edge of a book (5)
19 Chilled (2,3)
20 Leave behind (7)
21 Relating to a sovereign (5)

Down

1 Language spoken in Djibouti (6)
2 Stays absolutely still (7)
3 Shove (6)
4 Tea or coffee dispensers (4)
5 Understood (4)
10 Assisting (7)
12 Revoke a law (6)
14 Obscenity checker (6)
16 Journey from place to place (4)
17 Tough and lean (4)

Crossword 175

Across
1 Mercy (11)
7 Steady (6)
8 Compact by pounding (4)
9 Wood nymph (5)
11 Ethical (5)
13 Disperse a liquid mist (5)
14 Glide over ice (5)
16 Ink spot (4)
18 Damage (6)
20 Principal actress (7,4)

Down
2 Surface rock formation (7)
3 Lump of slime (3)
4 Competed (4)
5 Mesh (7)
6 The total amount (3)
10 Expected (7)
12 Changed (7)
15 Large, powerful carnivorous feline (4)
17 Not tell the truth (3)
19 Seventh month (abbr.) (3)

Crossword 176

Across
1 Tolerance (9)
8 Recently (5)
9 Genealogy (5)
10 Not so strict (6)
12 Young lady (4)
14 Push to secure, as a sheet beneath a mattress (4)
15 Purchased (6)
17 Corkwood (5)
18 Extraterrestrial (5)
20 European nobleman (5,4)

Down
2 Universal truth (3)
3 Key gas required for life (6)
4 Quality that surrounds a person (4)
5 Dropping in temperature (7)
6 Inflatable hose inside a tyre (5,4)
7 Separating (9)
11 Non-religious (7)
13 Yamaha competitor (6)
16 Small chess piece (4)
19 Write in (3)

Crossword 177

Across
1 Meets face-on (9)
7 Make a change to (5)
8 Inexpensive (5)
10 Cowl (4)
11 Window-shop (6)
14 Intense beams of light (6)
15 Metal-containing rocks (4)
17 Accessory device (3-2)
19 The clear sky (5)
20 Butt in (9)

Down
2 Choices (7)
3 Roll up (4)
4 Happens (6)
5 Definite article (3)
6 Norse heaven (8)
9 Strain (8)
12 Adore (7)
13 Heir to a throne (6)
16 At hand (4)
18 Judo level (3)

Crossword 178

Across
1 Highest-ranking card (3,2,6)
7 Clothed (4)
8 Sickness (6)
9 Cautions (5)
10 Establish as the truth (5)
13 Trades (5)
15 Tempest (5)
17 Notoriety (6)
18 Neat and tidy (4)
19 SMS communication (4,7)

Down
2 Montage (7)
3 First or second, eg (7)
4 Subsided (4)
5 Nightclub, perhaps (5)
6 Digging tool (5)
11 Spins (7)
12 Altering (7)
13 Float (5)
14 Fasten (5)
16 Small, U-shaped harp (4)

Crossword 179

Across

3 Mix together (5)
6 Rabat's country (7)
7 Kitchen frothing device (5)
8 Fine and feathery (5)
9 Passenger vehicle (3)
11 Letter-finishing stroke (5)
13 Lukewarm (5)
15 A word expressing negation (3)
18 Mixes liquid (5)
19 Entreaties (5)
20 Reciprocal (7)
21 Drip saliva (5)

Down

1 Beginner (6)
2 Small toothed whale (7)
3 Withdraw from a role (3,3)
4 Broadcast (4)
5 A title of high nobility (4)
10 Resolved (7)
12 Prehistoric animal remains (6)
14 Sudden arrival (6)
16 Copied (4)
17 Start again (4)

Crossword 180

Across

1 Causing (11)
6 Ploy (6)
7 What a vacuum does (4)
8 Artistic skill (5)
11 Desiccated (5)
12 Stared at longingly (5)
13 Cymbal-hitting sound (5)
17 Ran away from (4)
18 Relating to the nervous system (6)
19 Bounces on a sprung frame (11)

Down

1 Nerve type (5)
2 Hot, brown drink (5)
3 A short measure of length (4)
4 Nose opening (7)
5 Core (7)
9 Usual (7)
10 Liberty (7)
14 Cook's protection (5)
15 Ceases (5)
16 Know about (2,2)

Crossword 181

Across
1 Rebuke (5,4)
8 Cowboy display (5)
9 Ascends (5)
10 Young women (6)
12 Shoe fastener (4)
14 Pitch (4)
15 Spanish dish cooked in a shallow pan (6)
17 Juicy, tropical fruit (5)
18 Truncated (5)
20 Election nominee (9)

Down
2 Relieve; unburden (3)
3 Had a cigarette (6)
4 Small, flat-bottomed rowing boat (4)
5 Christmas toast (7)
6 Peak viewing period (5,4)
7 Artificial European language (9)
11 Woman in the Book of Daniel (7)
13 Elapsed (6)
16 Complete emptiness (4)
19 Available for purchase (3)

Crossword 182

Across
1 Commercial enterprises (10)
7 Act as a substitute (4,2)
8 Sprites (4)
9 Dress (5)
11 Events calendar (5)
13 Audibly (5)
14 Cord ends (5)
16 Former communist states, the Eastern ___ (4)
18 Women of good social position (6)
20 Remote countryside (10)

Down
2 Without a sharp or a flat (7)
3 Major marketing feature (init.) (3)
4 Cans (4)
5 First (7)
6 Month before October (abbr.) (3)
10 Assembly (7)
12 Feelings of repentance (7)
15 Hint (4)
17 Small in height (3)
19 Dull brown (3)

Crossword 183

Across
1 Edit (6)
4 Widespread (4)
6 Stringent (6)
7 Ordinary value (4)
8 Chemical twin (6)
11 Female domestic servant (4)
12 Public relations work? (4)
13 Halogen element (6)
16 Yoga expert (4)
17 Fine clothing (6)
18 Hart (4)
19 Free from an obligation (6)

Down
1 Swiss grated potatoes dish (5)
2 Sixth zodiac sign (5)
3 Destroy (11)
4 Changed title (7)
5 Not native (7)
9 Backing (7)
10 Staffing (7)
14 Upper part of the pelvis (5)
15 Build, as in a structure (5)

Crossword 184

Across
1 Plant-killing substance (9)
7 Supports (5)
8 Orders (5)
10 Hopping amphibian (4)
11 Take place (6)
14 Adjusts (6)
15 Haughty, spoiled woman (4)
17 One who steals (5)
19 Mend (5)
20 + or -, eg (9)

Down
2 Fill with delight (7)
3 Relax in the sun (4)
4 Breakfast food (6)
5 Loud noise (3)
6 Conceptual (8)
9 Lie on the beach, eg (8)
12 Computer-output device (7)
13 Like better (6)
16 Petty quarrel (4)
18 Online provider (init.) (3)

Crossword 185

Across
1 Kill someone important (11)
6 Newspaper chief (6)
7 Wound by scratching and tearing (4)
8 Talk (5)
11 Cultivated plants (5)
12 Elected (5)
13 Schemes (5)
17 Friendly; considerate (4)
18 Perform (6)
19 Treacle (6,5)

Down
1 States firmly (5)
2 Water-park attraction (5)
3 Categorize (4)
4 Digit (7)
5 Brass instrument (7)
9 Written condition (7)
10 Corrected (7)
14 More peculiar (5)
15 Deprive (5)
16 Beam (4)

Crossword 186

Across
1 Defacing of property, eg (9)
8 Attractive young woman (5)
9 Sloppy (5)
10 Not a single person (6)
12 Type of salamander (4)
14 Grade schoolwork (4)
15 River crossing (6)
17 Porcelain (5)
18 Truffles, eg (5)
20 The status quo (9)

Down
2 Perform on stage (3)
3 Fears (6)
4 Hobble (4)
5 Postpone (7)
6 Academic finance subject (9)
7 Combination to form a whole (9)
11 Filled tortilla (7)
13 Dickens's Dodger? (6)
16 Cause damage (4)
19 Tennis-court divider (3)

Crossword 187

Across
1 The study of numbers (11)
7 Avoid (4)
8 Halfway point (6)
9 Response (5)
10 Negotiator (5)
13 Compact in substance (5)
15 Heats up (5)
17 Food preview (6)
18 Have the courage (4)
19 Similarity (11)

Down
2 Attain (7)
3 Manages (7)
4 Note (4)
5 Not belonging to a major label (5)
6 Piece of paper (5)
11 Parent's father (7)
12 Consisting of numbers (7)
13 Discourage (5)
14 Fits one inside another (5)
16 Thoroughly defeat (4)

Crossword 188

Across
1 Strengthened (10)
6 One after the first (6)
7 Duration (4)
10 Operational (7)
12 Garment (3)
13 Foot digit (3)
14 Pasta envelopes (7)
15 Old Testament book (4)
18 A very short moment (2,4)
19 Company division (10)

Down
1 Floral perfume (4,5)
2 Wrong (9)
3 More amusing (7)
4 Pre-MP3 music media (abbr.) (3)
5 Genetic material (init.) (3)
8 Condescend (9)
9 Remiss (9)
11 Distribute (4,3)
16 Soccer-team name ending (abbr.) (3)
17 Short journey (3)

Crossword 189

Across
3 Not suitable (5)
6 Pungent, blue-veined cheese (7)
7 Earnings (5)
8 Excludes (5)
9 Also (3)
11 Antitoxin (5)
13 Practice for an emergency (5)
15 Attach a label (3)
18 Perspire (5)
19 Object from an earlier time (5)
20 Purported (7)
21 Slumber (5)

Down
1 Hinder progress (6)
2 Using every effort (4,3)
3 Relax after a tense period (6)
4 Soft, pear-shaped fruits (4)
5 Job (4)
10 Submerged in water (7)
12 Crazy; eccentric (6)
14 Having lots of money (6)
16 Epochs (4)
17 Melancholy (4)

Crossword 190

Across
1 Duplicate piece of paper (9)
7 A word encoded as pictures (5)
8 Add some numbers (3,2)
10 Jokers (4)
11 Walk like a duck (6)
14 Achieve (6)
15 Sticking substance (4)
17 *The Metamorphosis* author (5)
19 Inflexible (5)
20 T-800's mission (9)

Down
2 Natural environment (7)
3 Large, protruding tooth (4)
4 Offhand (6)
5 Breed of small dog with long silky hair, informally (3)
6 Snag (8)
9 Make-believes (8)
12 Greatly please (7)
13 Take a weapon away from (6)
16 Implement that's used to smooth clothes (4)
18 Payment; charge (3)

Crossword 191

Across

1 Experience (2,7)
8 Common birch-family tree (5)
9 Ascended (5)
10 Plug holder (6)
12 You sometimes need to draw this (4)
14 Solemn promise (4)
15 Mushroom, eg (6)
17 Giddy (5)
18 Damp (5)
20 Pledge (9)

Down

2 Aged (3)
3 Equines (6)
4 Belonging to us (4)
5 Young goose (7)
6 Secret sequences (9)
7 Strength (9)
11 Inhabitant (7)
13 Present for consideration (6)
16 Excitement (4)
19 Bother (3)

Crossword 192

Across

1 Recalling (11)
7 Escarpment (4)
8 Gesture (6)
9 Cleanse (5)
10 Country whose capital is Naypyidaw (5)
13 Economical with words (5)
15 Insect wound (5)
17 Less experienced (6)
18 Despicable people (4)
19 Seers (11)

Down

2 On the way (2,5)
3 Hires (7)
4 Knock (4)
5 More glacial (5)
6 Italian seaport (5)
11 Completely (7)
12 Computer display (7)
13 Fish displays (5)
14 Horned African animal (5)
16 Advantages (4)

Crossword 193

Across
1 Thenceforth (10)
7 Functioning (6)
8 Musician's performances (4)
9 Small, parasitic insect (5)
11 Stalks (5)
13 In a horizontal position (5)
14 Even in score (5)
16 Assert (4)
18 Money earned (6)
20 Changes (10)

Down
2 What's happened (7)
3 Polish (3)
4 Afresh; another time (4)
5 Firmly (7)
6 Offshore oil platform (3)
10 Red wine mixed with fruit (7)
12 Least amount possible (7)
15 Folk dances (4)
17 Person who treats sick animals (3)
19 Company supremo (init.) (3)

Crossword 194

Across
3 Life begins at this age? (5)
6 Soft toffee (7)
7 Butcher's leftovers (5)
8 Dismiss from a job (3,2)
9 Coniferous tree (3)
11 Selfish person (5)
13 Profoundness (5)
15 Wild animal's home (3)
18 Feather (5)
19 Of lower quality (5)
20 Cleaning with water (7)
21 Indications (5)

Down
1 SLR, eg (6)
2 Ruined; spoiled (7)
3 Poured (6)
4 Floating tied-timber platform (4)
5 Christmas (4)
10 Affluent (7)
12 Rejuvenates (6)
14 Measuring the duration of (6)
16 Nocturnal birds (4)
17 Tailless amphibian (4)

Crossword 195

Across

1 The action of moving something (11)
7 Medicine to induce vomiting (6)
8 Distillery drums (4)
9 Fermented Russian cereal drink (5)
11 Excessive interest rate (5)
13 Ancient Greek playhouse (5)
14 Maxim (5)
16 Smack an insect (4)
18 To a higher place (6)
20 Readiness to provide assistance (11)

Down

2 Took away (7)
3 Bad hair discovery? (3)
4 Undisputed point (4)
5 Updated (7)
6 Suitable (3)
10 Grow rapidly (5,2)
12 Judges (7)
15 Code word for 'Z' (4)
17 Misfortune (3)
19 Finish first (3)

Crossword 196

Across

1 Disregard; distraction (11)
6 Complete (6)
7 Breaks down naturally (4)
8 Leave the path (5)
11 Surface for walking on (5)
12 Artist's protective wear (5)
13 Workroom (5)
17 Hot molten rock (4)
18 Elastic material (6)
19 Subject areas (11)

Down

1 Units (5)
2 Sacrificial block (5)
3 Wholly divisible by two (4)
4 Small pastry (7)
5 Audibly (3,4)
9 Kettledrums (7)
10 Antiquated (7)
14 Built-up (5)
15 Threads (5)
16 Make ready (4)

Crossword 197

Across

1 Operation (9)
8 Corpulent (5)
9 Simple programming language (5)
10 Put in (6)
12 Deceased (4)
14 Wait in hiding (4)
15 Slum area (6)
17 Notable descendant (5)
18 Sun injuries (5)
20 Computer input devices (9)

Down

2 Lament (3)
3 Unblocks (6)
4 Small amounts, eg of powder (4)
5 Regard; esteem (7)
6 Left-winger (9)
7 Rave music, perhaps (4,5)
11 Mass, eg (7)
13 Irrational fear (6)
16 Rebuff (4)
19 Rock singer, Stewart (3)

Crossword 198

Across

1 Put an end to (9)
7 Swellings (5)
8 Remnant (5)
10 Bucket (4)
11 Chaotic din (6)
14 Supple (6)
15 Poet (4)
17 Turkish title (5)
19 Opposite of black (5)
20 Spying (9)

Down

2 Stays (7)
3 Reading table (4)
4 Orange and lime relative (6)
5 Brewed leaf drink (3)
6 Light, topless sandal (4-4)
9 Implanted (8)
12 Prejudicing (7)
13 Western spelling for Japanese (6)
16 Long-necked waterbird (4)
18 Biblical Epistle writers (abbr.) (3)

Crossword 199

Across
1 Buddhist enlightenment (6)
4 Hooded monk's habit (4)
6 Furthest from the outside (6)
7 Central shield boss (4)
8 Maker of suits (6)
11 Internally; inwardly (4)
12 Husk remains (4)
13 Software bugs (6)
16 West African republic (4)
17 African antelope (6)
18 Stopper (4)
19 Pressure felt during acceleration (1-5)

Down
1 Canonized person (5)
2 Song speeds (5)
3 Happening between (11)
4 Messenger (7)
5 One thinking of changing a decision (7)
9 Type of international post (7)
10 Setting down (7)
14 Being broadcast (2-3)
15 Gaze fixedly (5)

Crossword 200

Across
1 Too expensive (10)
7 Makes flush (6)
8 Pleasing (4)
9 Be equal (5)
11 Weary (5)
13 Greek Titan (5)
14 At no time (5)
16 Murders (4)
18 Situate (6)
20 Advocates for (10)

Down
2 Brave; courageous (7)
3 Bond's Moore, in brief? (3)
4 Fragrant, prickly flower (4)
5 Restrict (7)
6 Add-on online content (init.) (3)
10 Enduring artistic work (7)
12 Selected by vote (7)
15 Top tournament, in tennis (4)
17 In support of (3)
19 Prompt (3)

Crossword 201

Across

3 Pacifist's protest, perhaps (3-2)
6 Green, single-celled, freshwater organism (7)
7 Geeks (5)
8 Biases (5)
9 Guided (3)
11 Snare (5)
13 God or goddess (5)
15 Domestic sets? (abbr.) (3)
18 Intoxicated (5)
19 Doughnut-shaped (5)
20 Device for grilling bread (7)
21 Carries (5)

Down

1 Alarm-call bird (6)
2 Tardiest (7)
3 Came ashore (6)
4 Actor, James ___ Jones (4)
5 It's used for smelling (4)
10 Bring down (7)
12 Expels (6)
14 With a particular hue (6)
16 Wild guess (4)
17 Killer whale (4)

Crossword 202

Across

1 Ending (11)
6 Mythological female warrior (6)
7 Dark (4)
8 Rabbit pen (5)
11 The Scales (5)
12 Colossus (5)
13 Varieties (5)
17 Unfermented malt (4)
18 South American wool-provider (6)
19 Get to work (7,4)

Down

1 Heavily criticize (5)
2 Respond (5)
3 Zero (4)
4 Cambridge college founded by Henry VIII (7)
5 Durable timber source (3,4)
9 Mythical, one-horned animal (7)
10 Disordered (7)
14 Instrument with black and white keys (5)
15 Give rise to (5)
16 Drag (4)

Crossword 203

Across

1 Flight of steps (9)
7 Japanese bamboo-sword fencing (5)
8 Prestidigitation (5)
10 Circle segments (4)
11 Lingo (6)
14 Work-experience trainee (6)
15 Small dam (4)
17 Spirit or apparition (5)
19 The Romans once spoke it (5)
20 Not on film (3,6)

Down

2 Digression (7)
3 Hero (4)
4 Fight (6)
5 Sink downwards (3)
6 Hopping over and over a rope (8)
9 Face up to (8)
12 Better (7)
13 Judge (6)
16 Run-down part of a city (4)
18 Dunce (3)

Crossword 204

Across

1 Celebrity signature, perhaps (9)
8 Automaton (5)
9 Became ice (5)
10 Grumble privately (6)
12 By a single person (4)
14 Large brass instrument (4)
15 Least inhibited (6)
17 Be cyclical (5)
18 Egret (5)
20 Lucky (9)

Down

2 Common charging socket (init.) (3)
3 Beginning (6)
4 Starched neck frill (4)
5 Exasperate (7)
6 Early (9)
7 Disgusting (9)
11 Plant of the genus *Nicotiana* (7)
13 Parentless child (6)
16 Formal legal instrument (4)
19 Furrow (3)

Crossword 205

Across

1 Senior (4-7)
7 Elemental particle (4)
8 Entices (6)
9 Opposite of loud (5)
10 Fittingly (5)
13 Key for upper case (5)
15 Shabby (5)
17 Per head (6)
18 Broadcasts (4)
19 Boy or girl in full-time education (11)

Down

2 Having up-to-date knowledge (2,5)
3 Masculine pronoun (7)
4 Pretentious (4)
5 Enter (5)
6 Long-winded (5)
11 Ancient Egyptian king (7)
12 Precise (7)
13 Moves like a tree (5)
14 Celtic language (5)
16 Small valley (4)

Crossword 206

Across

1 Rag-tag band (6,4)
7 Dispatcher (6)
8 Cheek (4)
9 Combat engagement (5)
11 Fully aligned (5)
13 Ancient Greek marketplace (5)
14 Radiant (5)
16 Brake part (4)
18 Get back together (6)
20 Energy (3-2-3-2)

Down

2 Conforming (7)
3 Youngster (3)
4 Long, rambling story (4)
5 Settle (7)
6 Had been (3)
10 Reaping (7)
12 Adding up (7)
15 Journey (4)
17 Male pig (3)
19 Jennifer, familiarly (3)

Crossword 207

Across
1 Cooking instructions (6)
4 Present (4)
6 Panda food (6)
7 Has (4)
8 Senility (6)
11 Central part (4)
12 Unable to hear (4)
13 Frozen water spike (6)
16 Be unsuccessful (4)
17 Cliquey witticism (2-4)
18 Go against (4)
19 Troubles; predicaments (6)

Down
1 Fanatical (5)
2 Celestial body with a tail (5)
3 Love of the mysterious and exotic (11)
4 Italian potato dumplings (7)
5 Ceremony for a deceased person (7)
9 Run (7)
10 Very badly (7)
14 Hews (5)
15 Levels (5)

Crossword 208

Across
1 List someone's faults (9)
7 Cowboy's rope (5)
8 Land for growing crops (5)
10 Money (4)
11 Deadly (6)
14 Change title (6)
15 Wither (4)
17 Carved gemstone (5)
19 Excited exclamation (5)
20 Doctrines of the Methodists (9)

Down
2 From Moscow, eg (7)
3 Stepped (4)
4 Roasted-bean drink (6)
5 Actress, Wanamaker (3)
6 Battery-operated, perhaps (8)
9 Removed passage of text (8)
12 Elevations (7)
13 Legato, musically (6)
16 Looked at closely (4)
18 *The Simpsons* bar owner (3)

Crossword 209

Across
1 Confess (4,5)
8 Finish a meal (3,2)
9 Conclude (5)
10 For all of a given time interval (6)
12 *Dracula* creator, Stoker (4)
14 Company; flock (4)
15 Second (6)
17 Relating to the ear (5)
18 Kendall Jenner or Heidi Klum (5)
20 Keeping (9)

Down
2 Frequently (archaic) (3)
3 Grow (6)
4 Reclined (4)
5 To start with (2,5)
6 Soft, cuddly toy (5,4)
7 Mainly (9)
11 Change direction (7)
13 Large, edible fish (6)
16 Jumping insect that attaches itself to dogs and cats (4)
19 Put on (3)

Crossword 210

Across
3 Governed (5)
6 Family moniker (7)
7 Edible seed container (5)
8 Change opinion (5)
9 Intel rival (3)
11 Dried grain stalks (5)
13 Dug up (5)
15 Between extremes (3)
18 Sphere (5)
19 Flooded (5)
20 Weakens; damages (7)
21 Geological depression (5)

Down
1 Confusion (6)
2 Set of rearranged letters (7)
3 Reconstruct (6)
4 Aggressive man (4)
5 Moral or legal obligation (4)
10 Trick (7)
12 Surrounded by (6)
14 Get on board (6)
16 Deliberately hurtful remark (4)
17 Rotary projections (4)

Crossword 211

Across

1 With good productivity (11)
6 Open with a key (6)
7 Take part in an election (4)
8 Investigate (5)
11 Overwhelm with water (5)
12 Sharp cutting tool (5)
13 Competing (5)
17 State of deep unconsciousness (4)
18 Amend (6)
19 Wrongly (11)

Down

1 Fit out (5)
2 Individual leaf of paper (5)
3 Gross; unpleasant (4)
4 An unfamiliar thing (7)
5 Disappoint (3,4)
9 Dilapidated (3-4)
10 Large wild ox (7)
14 Arctic native (5)
15 Bold (5)
16 Wild animal's home (4)

Crossword 212

Across

1 Of an early Western style of architecture (6)
4 Union Jack, eg (4)
6 Kind of (2,1,3)
7 Proton donor (4)
8 Most exquisite (6)
11 Melt (4)
12 Omit (4)
13 Secured with a key (6)
16 Podded vegetables (4)
17 Thorny, flowering shrub (6)
18 Slow, heavy walk (4)
19 Reduce (6)

Down

1 Trouble; annoyance (5)
2 Vehicle that travels on rails (5)
3 Fortune-telling globe (7,4)
4 Frenzied (7)
5 Stir up (7)
9 Dipping pot for a quill pen (7)
10 Laid bare (7)
14 Thrills (5)
15 Sink opening (5)

Crossword 213

Across
1 Provide a précis (9)
7 Feather pen (5)
8 Elected (5)
10 Having a keen desire (4)
11 Accept as true (6)
14 Tab in (6)
15 Family (4)
17 Until now (2,3)
19 Imperial Russian decree (5)
20 Mixtures (9)

Down
2 Consolidated (7)
3 Small burrowing animal (4)
4 Best-ever achievement (6)
5 Wild animal park (3)
6 Zodiac sign (8)
9 Lengthened (8)
12 A slow person (7)
13 Absorb, as in a conversation (6)
16 Spiritual teacher (4)
18 Frizzy hairstyle (abbr.) (3)

Crossword 214

Across
1 Instability (9)
8 Adjust (5)
9 No longer sleeping (5)
10 Online personal news page (6)
12 Parody (4)
14 Infamously cruel Roman emperor (4)
15 Silhouette (6)
17 Unhappily (5)
18 Tests (5)
20 Lung condition (9)

Down
2 Apology, ___ culpa (3)
3 Writer (6)
4 Slightly open (4)
5 Fractured (7)
6 Eponymous theory of evolution (9)
7 Sub-conscious lack of self-preservation (5,4)
11 Tedium (7)
13 Rotating load bearers (6)
16 Traditional story (4)
19 Cash machine (init.) (3)

Crossword 215

Across

1 Concert (11)
7 Appeal (4)
8 Be thrifty (6)
9 Mind (5)
10 Scent (5)
13 Typed (5)
15 Hauls (5)
17 Indifference (6)
18 Cereal commonly used for food (4)
19 Yearly celebration (11)

Down

2 Make bigger (7)
3 Delicate (7)
4 Harsh, grating sound (4)
5 Gullible (5)
6 Oust (5)
11 Reflects (7)
12 Igniter (7)
13 Eucalyptus-eater (5)
14 Feel wistful (5)
16 Unit of memory size (4)

Crossword 216

Across

3 Proprietor (5)
6 Correct a misconception (5,2)
7 Receded (5)
8 Horse straps (5)
9 If you wouldn't mind (abbr.) (3)
11 Beneath (5)
13 Adam's needle (5)
15 Joker (3)
18 Large dart (5)
19 The ''d'' in 'I'd' (5)
20 Marine crustacean (7)
21 Sulky (5)

Down

1 Assert (6)
2 Prism display (7)
3 Publicly (6)
4 Catches in the act (4)
5 Journeyed by horse (4)
10 Break of day (7)
12 Crazily (6)
14 Chilled (6)
16 One might have done this in the sea (4)
17 Martial art (4)

Crossword 217

Across
1 Supporting (11)
6 Wood sorrel (6)
7 Military force (4)
8 Stern (5)
11 High and thin, as a sound (5)
12 Arctic, eg (5)
13 Suffering from a shivering fit (5)
17 Ceremony (4)
18 Hesitant (6)
19 Fail, as in a business (2,2,3,4)

Down
1 Age (5)
2 Seat (5)
3 Hopeful (4)
4 Mechanical train (7)
5 Candidate for an award (7)
9 In a tender manner, musically (7)
10 Hair detergent (7)
14 Soft part at the back of the throat (5)
15 Inhabit (5)
16 Cry of pain (4)

Crossword 218

Across
1 Perverting (10)
7 Musical speed reversion (1,5)
8 Lacking in sensation (4)
9 Flaming (5)
11 One from Athens, eg (5)
13 Compassion (5)
14 Take as one's own (5)
16 Clench the teeth (4)
18 Reverse (6)
20 Unrhymed poem (5,5)

Down
2 Exterior (7)
3 Aries symbol (3)
4 Senior lecturer (4)
5 Disregarded (7)
6 Treasure (3)
10 Type of soft cheese (7)
12 Overseas trades (7)
15 Mix of red and white (4)
17 Ransack (3)
19 Contend (3)

Crossword 219

Across
1 Flags (9)
8 Not clearly expressed (5)
9 Member of the camel family (5)
10 Book user (6)
12 Much loved (4)
14 Wave for a taxi (4)
15 Fireplace shelf (6)
17 Identifying piece of paper (5)
18 Doctrine (5)
20 Tender emotion (9)

Down
2 Hard pull (3)
3 Essential (6)
4 Team up (4)
5 Regional language variation (7)
6 Engulf (9)
7 Police vehicle (6,3)
11 Friendly (7)
13 Indiscriminate (6)
16 Move swiftly and quickly (4)
19 Alcohol made with juniper berries (3)

Crossword 220

Across
1 Opinion piece (9)
7 Buffalo (5)
8 Stays in a tent (5)
10 Egg cell (4)
11 Chase (6)
14 False (6)
15 Deluxe (4)
17 Insert (5)
19 Exterior (5)
20 Generous (9)

Down
2 Revulsion (7)
3 Shades of brown (4)
4 Get back (6)
5 A goal or target (3)
6 Complete (8)
9 Sheep protector (8)
12 Flattens out (7)
13 Confuse (6)
16 18-hole game (4)
18 Tallest UK mountain, ___ Nevis (3)

Crossword 221

Across
1 Think about (11)
7 Religious ceremony (4)
8 Mastermind (6)
9 Goes on and on (5)
10 Customary practice (5)
13 Varieties (5)
15 Exodus plague (5)
17 Avid (6)
18 Small mountain lake (4)
19 Visually striking (3-8)

Down
2 Paper-folding art (7)
3 Took out to dinner, eg (7)
4 Magician (4)
5 Inner psyche (5)
6 Happen after (5)
11 Itch (7)
12 First man in space (7)
13 Scoundrel (5)
14 Gentle push (5)
16 'Immediately!' on a hospital ward (4)

Crossword 222

Across
1 Alludes (6)
4 Small, light-brown songbird (4)
6 Delay (4-2)
7 Candle string (4)
8 Repeatedly pester (6)
11 Rant (4)
12 Construction block toy (4)
13 Ahead (6)
16 Transport vehicle (4)
17 Evil reputation (6)
18 Large, floating ice block (abbr.) (4)
19 Sycophant (3-3)

Down
1 Drug recovery course (5)
2 Registered (5)
3 Supremacy (11)
4 Of little intellectual interest (7)
5 Retrieve (7)
9 Typical (7)
10 Incandescent (7)
14 Warning sound (5)
15 Prominent member of a field (5)

Crossword 223

Across
1 Chance occurrence (11)
7 Also (2,4)
8 Suffers as a result of something (4)
9 Conceals in paper (5)
11 Active admirer? (5)
13 Native American tent (5)
14 Refined iron (5)
16 Indian butter (4)
18 Mental health (6)
20 Comprehends (11)

Down
2 Notice (7)
3 Maiden name (3)
4 With no purpose (4)
5 Take advantage of (7)
6 Weep (3)
10 Go before (7)
12 Thrown out (7)
15 Consumes (4)
17 Main Chinese ethnic group (3)
19 Contract enforcing secrecy (init.) (3)

Crossword 224

Across
1 Distance of 220 yards (7)
5 Murder-scene detective (init.) (3)
7 Commercial plugs (3)
8 Handled (7)
9 Strong desire (4)
10 Eliminate (6)
12 Glorifies (6)
13 Reiterate (4)
15 Plain (7)
16 Correlative to 'neither' (3)
17 Daughter's opposite? (3)
18 Pardon (7)

Down
1 Completely plain (11)
2 Surrender (11)
3 Units of electrical resistance (4)
4 Male or female (6)
5 Intelligentsia (11)
6 Eventually (2,3,6)
11 The thing in question (6)
14 Celestial body (4)

Crossword 225

Across
1 Helps (7)
5 Donation to a waiter (3)
7 Reputation (11)
8 Former Communist federation (init.) (4)
10 Draw (6)
12 Road surface (6)
13 Proposal (4)
15 Not even vaguely close (7,4)
17 Expression of agreement (3)
18 Wandering (7)

Down
1 Financial-reporting profession (11)
2 Female person (3)
3 Peel (4)
4 Adhesive (6)
5 Rotated (7)
6 Relating to mental illness (11)
9 Sits in an ungainly way (7)
11 Collapse (4-2)
14 Stitched garment join (4)
16 Advanced teaching degree (2,1)

Crossword 226

Across
1 Superiorly; prudishly (10)
7 Dozen (6)
8 Hindu goddess of illusion (4)
9 Daft (5)
11 Air currents (5)
13 Long, hard seat (5)
14 Member of the heron family (5)
16 Wrongful act, in law (4)
18 Constructs (6)
20 Old-fashioned person (5-5)

Down
2 Compose again (7)
3 Young woman (3)
4 Agenda point (4)
5 Sewing an edge (7)
6 Celebratory cheer (3)
10 Situated (7)
12 Much feared (7)
15 Expertly (4)
17 Clumsy and unintelligent person (3)
19 Debtor's note (abbr.) (3)

Crossword 227

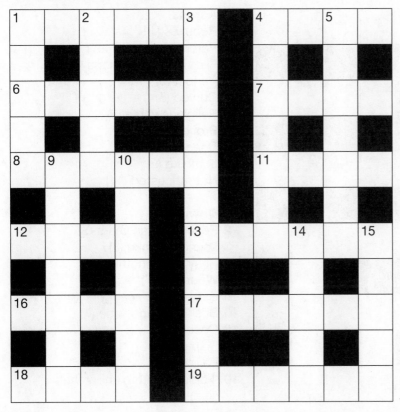

Across

1 Deliberate (11)
7 Ancestry (7)
8 Big cup (3)
9 Furnish (6)
11 Periods of time (4)
13 Chess castle (4)
14 'Understood' (6)
16 Lens-based metering system (init.) (3)
17 Vivid graphic representation (7)
19 Show (11)

Down

1 Drew pictures for (11)
2 Bronze (3)
3 Tidily (6)
4 Day in the middle of the month (4)
5 Made up of digits (7)
6 Law-writing body (11)
10 Puzzle (7)
12 Burrowing animal, closely related to the koala (6)
15 For the notice of (abbr.) (4)
18 Scheduled arrival (init.) (3)

Crossword 228

Across

1 Bikes (6)
4 Change position (4)
6 Second-largest continent (6)
7 Jar (4)
8 Type of alcoholic cocktail (3,3)
11 Utter defeat (4)
12 Capital of Italy, to an Italian (4)
13 Crushed rocks (6)
16 Anthem (4)
17 They might be soap or comic (6)
18 Gripped (4)
19 Eucharist services (6)

Down

1 Bracelet attachment (5)
2 Welsh breed of dog (5)
3 Type of toiletry item (7,4)
4 Balearic island (7)
5 Someone who preys on others (7)
9 Somewhat dull (7)
10 Taught (7)
14 Self-replicating computer program (5)
15 Misplaces (5)

Crossword 229

Across
1 Local groups (11)
6 Church keyboards (6)
7 Young dogs (4)
8 Sailing vessel (5)
11 Small branch (5)
12 Edge of a lake (5)
13 The act of coming in (5)
17 Protective wound covering (4)
18 Aged metal coating (6)
19 Exemplifies (11)

Down
1 Cape (5)
2 Strength (5)
3 Excessively curious (4)
4 Tennis technique (7)
5 Less full (7)
9 Above board (7)
10 Large deer (7)
14 Turnabout (5)
15 'A very long time' (5)
16 Expectorate (4)

Crossword 230

Across
1 Rebukes (11)
7 Parchment document (6)
8 Flies by 747, perhaps (4)
9 Perfect (5)
11 Curved (5)
13 Religious verse (5)
14 Proficient (5)
16 Deep gulp (4)
18 Loathing (6)
20 Not requested (11)

Down
2 Periods of ten years (7)
3 Lennon's Yoko (3)
4 Busy doing nothing (4)
5 Wounded (7)
6 Back of a soccer goal (3)
10 Briskly, tempo-wise (7)
12 Cost (7)
15 Siamese (4)
17 Pallid (3)
19 'I didn't need to know that!' (init.) (3)

Crossword 231

Across

1 Based on a fixed set of ideas (11)
7 Hawaiian skirt (4)
8 Wound (6)
9 Start eating with gusto (3,2)
10 Shoplifted, perhaps (5)
13 Put on (5)
15 Pale-green gemstone mineral (5)
17 Smoothly, in music (6)
18 Ancient letter (4)
19 Extremely happy (4,3,4)

Down

2 Visitor (7)
3 Scanning text (7)
4 Picks, with 'for' (4)
5 Planet demoted to a dwarf (5)
6 Cover with cloth (5)
11 Proposition (7)
12 Give a piece of your mind to (3,4)
13 Artillery burst (5)
14 Journalistic slant (5)
16 Exclamation of surprise (4)

Crossword 232

Across

3 Lowest point (5)
6 Bland and unadventurous (7)
7 Electronic switch (5)
8 Woven fabric (5)
9 Twain's Sawyer (3)
11 They make up fur (5)
13 Better informed (5)
15 Use a needle (3)
18 Purchase all of (3,2)
19 Sports result (5)
20 Ill-treatment (7)
21 Slumbered (5)

Down

1 Mexican national flower (6)
2 Female siblings (7)
3 Make less wide (6)
4 Handout (4)
5 Sunbeams (4)
10 Hour divisions (7)
12 Pick out (6)
14 Consider identical (6)
16 Requests (4)
17 Wish (4)

Crossword 233

Across
1 Mexican language (7)
5 Punch lightly (3)
7 Sales record (7)
8 Brazil's second-largest city (3)
9 Basic part of speech (4)
10 Blanket wrap (6)
12 Become receptive (6)
13 Exploding star (4)
15 Personal (3)
16 Indian language (7)
17 Not a solid or liquid (3)
18 Waterfall (7)

Down
1 Continue to fool (6,5)
2 Bookkeepers (11)
3 Bird worshipped by ancient Egyptians (4)
4 Fast food item (3,3)
5 He became number 44 in 2009 (6,5)
6 Deliberately arousing (11)
11 Without being asked (2,4)
14 Duty (4)

Crossword 234

Across
1 Confined (11)
7 Keepsake (7)
8 Opposite of outs (3)
9 As far as (2,2)
11 Social setting (6)
13 Lay to rest within something (6)
14 Conceits (4)
16 Actor, McDiarmid (3)
17 1920s decorative style (3,4)
19 Includes (11)

Down
1 Convert to automation (11)
2 Classic object-taking game (3)
3 Not very big at all (4)
4 Very handsome young man (6)
5 Apprehending; catching (7)
6 Discourses (11)
10 Of very great size (7)
12 Mummify (6)
15 Sicilian volcano (4)
18 Greek equivalent of Aurora (3)

Crossword 235

Across
1 Extreme fear of water (11)
7 Military leader (abbr.) (3)
8 Surrounding (7)
9 Relaxed: ___ back (4)
10 Like a movie (6)
13 Water channel on a roof (6)
14 Formal educational test (4)
16 Clothes fitters (7)
18 Army rank below sergeant (abbr.) (3)
19 Public eating places (11)

Down
1 Marker with transparent ink (11)
2 Tooth doctor (7)
3 Gemstone (4)
4 Crossbreed (6)
5 Hive worker (3)
6 Medium altitude cloud (11)
11 Type of spicy cuisine (7)
12 Spanish racket game (6)
15 Website member (4)
17 Proofs of age (abbr.) (3)

Crossword 236

Across
1 Tell the difference (11)
6 Deciduous flowering shrub (6)
7 Atoms with net electric charge (4)
8 Confine (5)
11 Ornamental headgear (5)
12 Dribbles (5)
13 Chemical analysis (5)
17 Sonic the Hedgehog company (4)
18 Main Japanese island (6)
19 Dystopian (11)

Down
1 Slow, lazy speech (5)
2 Sudden convulsion (5)
3 Tidy (4)
4 Amalgamates (7)
5 Spanish punch (7)
9 A resident of Tel Aviv (7)
10 Charge with misconduct (7)
14 Rolled rice dish (5)
15 Young person (5)
16 Fraud (4)

Crossword 237

Across
3 Talked humorously (5)
6 Flowering bedding plant (7)
7 Enlarges (5)
8 Those currently logged on (5)
9 Cram (3)
11 Closes teeth on (5)
13 Juliet's lover (5)
15 Small amount (3)
18 Starting point (5)
19 Broadcast audio (5)
20 Type of shoulder bag (7)
21 Inscribed column (5)

Down
1 Dwarf tree (6)
2 Whiskered (7)
3 Powerful cat (6)
4 Eccentric person (4)
5 Fading evening light (4)
10 Sovereign (7)
12 Indian pastry (6)
14 Modified text (6)
16 Upper body limbs (4)
17 Side (4)

Crossword 238

Across
1 Knocks down (10)
7 Soul (6)
8 Shade of dark red (4)
9 Sweeps along, like a cloud (5)
11 Gives for a while (5)
13 Passing remark (5)
14 Taking advantage of (5)
16 Twisted metal neckband (4)
18 Air current (6)
20 Dining venue (10)

Down
2 Anticipates (7)
3 Rower (3)
4 Very small quantity (4)
5 Occurs (7)
6 Short time (abbr.) (3)
10 Infers (7)
12 Inhabitant (7)
15 God as father, in the New Testament (4)
17 Belonging to us (3)
19 Hearing organ (3)

Crossword 239

Across
1 Magic word (11)
7 Shielded (7)
8 Ozone-layer depleter (init.) (3)
9 Leaf-gathering, perhaps (6)
11 Swindle (4)
13 Curves (4)
14 100 centimos (6)
16 Sergeant, eg (init.) (3)
17 Distinguished orchestra leaders (7)
19 Points of contention (11)

Down
1 Found out for sure (11)
2 Pump an accelerator (3)
3 Preserving meat (6)
4 Things that fail to work properly (4)
5 Pedal vehicle (7)
6 Joins (11)
10 Initiate proceedings (4,3)
12 Harsh (6)
15 Wigeon, pochard or pintail (4)
18 Solicitous attention (init.) (3)

Crossword 240

Across
1 Adherents (9)
8 Elects (5)
9 Group of similar objects (5)
10 Tore (6)
12 Tiller (4)
14 Back (4)
15 Tittle-tattle (6)
17 Let-out (5)
18 Scarcer (5)
20 Sent to the printer, perhaps (9)

Down
2 Start of Scorpio month (abbr.) (3)
3 Wrote an inventory of (6)
4 Spiders' homes (4)
5 Depicts artistically (7)
6 Bank account deficit (9)
7 Amusement ground (5,4)
11 Flat part of a curve (7)
13 Romances (6)
16 Graven image (4)
19 Regret (3)

Crossword 241

Across
1 Fear of crowds (11)
7 Portuguese island (7)
8 Sick (3)
9 Cult (4)
11 Unmoving (6)
13 Dwellings (6)
14 Expectorated (4)
16 Eire (init.) (3)
17 Active (2,3,2)
19 States the opposite (11)

Down
1 Creating a distinctive mood (11)
2 Definitive British dictionary (init.) (3)
3 Having little or no rain (4)
4 Pumping organs (6)
5 Accumulated (5-2)
6 Shares (11)
10 Warning (7)
12 Diversion (6)
15 Breeding stallion (4)
18 Plus more (abbr.) (3)

Crossword 242

Across
1 People born in an area (7)
5 Snapshot (3)
7 Foreign oddities (7)
8 Not at home (3)
9 Heavy mists (4)
10 Late baroque style of decoration (6)
12 Young (6)
13 Multi-user online writing tool (4)
15 Just manage to make (3)
16 End-of-line stations (7)
17 Canonized people (abbr.) (3)
18 Equivalent word (7)

Down
1 A state of requiring help (11)
2 Inconsiderate (11)
3 Blood circulation tube (4)
4 Winter, eg (6)
5 Proffered plan (11)
6 The Pope's religion (11)
11 Name plaques (6)
14 Pieces of grain husk (4)

Crossword 243

Across

1 Base-16 number system (11)
7 Rarely encountered (6)
8 Not real (4)
9 Exaggerated (5)
11 Beginning (5)
13 Edition of a magazine (5)
14 Donkeys (5)
16 'In the same source' (abbr.) (4)
18 Relating to the underworld (6)
20 Egyptian symbols (11)

Down

2 Makes enthusiastic (7)
3 It's mostly oxygen and nitrogen (3)
4 Carafe (4)
5 Babies (7)
6 Request (3)
10 Fail as a business (2,5)
12 Ocular cleansing lotion (7)
15 Lout (4)
17 Weight-watching metric (init.) (3)
19 Period of 24 hours (3)

Crossword 244

Across

1 Led the orchestra (9)
7 A particular low-value banknote (5)
8 Propose (5)
10 Greek god who fires love arrows (4)
11 Opposite of alkaline (6)
14 Ridiculous (6)
15 Audacity (4)
17 Foyer (5)
19 Connected pages on a website (5)
20 Large northern constellation (9)

Down

2 Clearly apparent (7)
3 Small, pointed missile (4)
4 Selection (6)
5 Mischievous person (3)
6 Despite anything else (5,3)
9 Foolhardy (8)
12 Emptied (7)
13 Supplication (6)
16 Dejected (4)
18 Tightly coiled hairstyle (3)

Crossword 245

Across

1 The state of being a subject of a country (11)
7 Wet earth (3)
8 Ore (7)
9 Fantasy of perfection (6)
10 Stiffly formal (4)
13 Decorated, as with a sugary coating (4)
14 Steward (6)
16 Flowering plant grown as fodder (7)
18 Remains of a fire (3)
19 Using indirect expressions (11)

Down

1 Convey (11)
2 Immature frog (7)
3 Horror movie staple (6)
4 Religious women (4)
5 That woman (3)
6 Occurring in several forms (11)
11 Withdraw (7)
12 Its capital is Honolulu (6)
15 Musical TV drama (4)
17 Well-dressed chap (3)

Crossword 246

Across

1 Physical tests (10)
7 Crazy (6)
8 Punches; strikes (4)
9 Arms and legs (5)
11 Small fairy (5)
13 Spy (5)
14 Loud kiss (5)
16 Coffee (4)
18 A state of inactivity (6)
20 Restored (10)

Down

2 Wandering over a wide area (7)
3 Intelligence organization (init.) (3)
4 Surefooted wild goat (4)
5 Religious disbelief (7)
6 Convened (3)
10 Native of former Indian province (7)
12 Slant (7)
15 Fertility goddess (4)
17 Yearly interest (init.) (3)
19 Programming language for critical systems (3)

Crossword 247

Across

7 Advisers (11)
8 Regular (7)
9 Wilhelmina, informally (3)
10 Exhorted (5)
12 Faithful (5)
13 *Arabian Nights* character, Baba (3)
14 Observes (7)
16 Kill by electricity (11)

Down

1 Gathered over time (11)
2 A person who is against something (4)
3 Of a lower rank (11)
4 Provocation (11)
5 Animosity (6)
6 Sets up (11)
11 Female Scouts (6)
15 Main point (4)

Crossword 248

Across

3 Drink with a sucking sound (5)
6 The United States (7)
7 Not the back (5)
8 Courtroom event (5)
9 Sales feature (init.) (3)
11 Recurring theme (5)
13 Experience (5)
15 Snooze (3)
18 Water after boiling? (5)
19 Relating to ancient Carthage (5)
20 Hooded jackets (7)
21 Dogma (5)

Down

1 Unborn offspring (6)
2 Burglary (5-2)
3 Most secure (6)
4 Japanese pasta strips (4)
5 Domestic animals (4)
10 Template (7)
12 Wealthy and powerful person (3,3)
14 Follows (6)
16 Small mark (4)
17 Privy to, as in a secret (2,2)

Crossword 249

Across

1 Not permanently (11)
6 Cleans (6)
7 Soft, pear-shaped fruits (4)
8 Covered on the inside (5)
11 Zones (5)
12 Frenzy (5)
13 Virtue (5)
17 Insulting remark (4)
18 Seer (6)
19 Financial contributions for profit (11)

Down

1 Drying cloth (5)
2 Type of subatomic particle (5)
3 Deception (4)
4 Amends; improves (7)
5 Baggage (7)
9 Roman or Milanese, eg (7)
10 Malevolent gaze (4,3)
14 Lucifer (5)
15 Small nails (5)
16 Filth (4)

Crossword 250

Across

1 Practice (6)
4 Glasses; drinking vessels (4)
6 Two-seater bicycle (6)
7 Midday (4)
8 Obscured (6)
11 Feeds (4)
12 Tip (4)
13 Exaggerate (6)
16 Very large; huge (4)
17 Cut up (6)
18 Not new (4)
19 Restless and turbulent (6)

Down

1 Trap (5)
2 Church council (5)
3 With great importance (11)
4 Yield (7)
5 Conspired (7)
9 Ailment (7)
10 Zealot (7)
14 Sprints (5)
15 Strangely (5)

Crossword 251

Across

1 US pretrial decisions panel (5,4)
7 English white cliffs locale (5)
8 Set (5)
10 Metal containers (4)
11 The fastest-growing grass (6)
14 Central argument (6)
15 Creamy coleslaw ingredient (4)
17 Opposite of credit (5)
19 Upper classes (5)
20 Promote (9)

Down

2 Retaliation (7)
3 Dweeb (4)
4 Picture puzzle requiring assembly (6)
5 Seventeenth Greek letter (3)
6 Learned (8)
9 Suggests (8)
12 Aflame (7)
13 Inexpensive restaurant (6)
16 Grizzly or polar, eg (4)
18 Forbid (3)

Crossword 252

Across

1 Enterprises (11)
7 Andean capital (4)
8 Conakry is its capital (6)
9 Opposite of heavy (5)
10 Breakfast tea component (5)
13 Hand-to-forearm joint (5)
15 Take from someone by force (5)
17 Blame (6)
18 Askew (4)
19 Pulling no punches (4-7)

Down

2 More clamorous (7)
3 Educates (7)
4 Simple aquatic plant (4)
5 The second planet (5)
6 Oiliness (5)
11 Personal attendant (7)
12 Undistinguished person (4-3)
13 Ire (5)
14 Become subject to (5)
16 Fresh-food products counter (4)

Crossword 253

Across

1 Work (10)
7 After much delay (2,4)
8 Sheds (4)
9 Elliptical (5)
11 Prone (5)
13 Digital letter code (init.) (5)
14 One more time (5)
16 Informal talk (4)
18 Add to the start (6)
20 As predicted (4,6)

Down

2 Detectives' concerns (7)
3 Grazing land (3)
4 Legendary creature (4)
5 Resounding (7)
6 Mild sound of rebuke (3)
10 Tremulous bird chirp (7)
12 Leaving (7)
15 Church recess (4)
17 Belonging to him (3)
19 Self-importance (3)

Crossword 254

Across

1 Forward-looking (11)
7 Digressions (6)
8 Assign a value to (4)
9 Sully (5)
11 Hand covering (5)
13 Decorate; embellish (5)
14 Camera aperture setting (1-4)
16 Graceful, white waterbird (4)
18 Hang around (6)
20 Obligations (11)

Down

2 Began again (7)
3 Deity (3)
4 Besides (4)
5 Parchment rolls (7)
6 Large container (3)
10 Word formed from initial letters (7)
12 Wild (7)
15 Narrow strip of wood (4)
17 GATT successor (init.) (3)
19 *South Park* baby (3)

Crossword 255

Across
1 Magnifying device (9)
8 Shoe bottoms (5)
9 Ales (5)
10 Remember (6)
12 Remedy (4)
14 Hammer target (4)
15 Consume (6)
17 Creates (5)
18 Italian mother (5)
20 Draw a bar beneath text (9)

Down
2 Possibly electric fish (3)
3 Without difficulty (6)
4 Taxis (4)
5 Gather (7)
6 The study of space (9)
7 Required (9)
11 Domestic fowl (7)
13 Tooth covering (6)
16 Part of an archipelago (4)
19 Adult male (3)

Crossword 256

Across
1 Loyalties (11)
6 Infer (6)
7 Terrifying person (4)
8 Demise (5)
11 Not static (5)
12 The Magi's incense (5)
13 Take by force (5)
17 Conceal (4)
18 Papal ambassador (6)
19 Significantly (11)

Down
1 Assisted (5)
2 Grub (5)
3 Freezes over (4)
4 Spaghetti-like strips (7)
5 Before, in terms of time (7)
9 Heaven, to ancient Greeks (7)
10 Underwater missile (7)
14 Not abridged (5)
15 One authorized to act on behalf of another (5)
16 Danish king of England, 1017–35 (4)

Crossword 257

Across

1 Floundered (9)
7 Old record (5)
8 First-class, informally (5)
10 Few and far between (4)
11 Soothing, as of sound (6)
14 Relating to the lower spine (6)
15 Goad (4)
17 Belonging to which person? (5)
19 Has an informal conversation (5)
20 Engrossing (9)

Down

2 Seven-piece shape puzzle (7)
3 Unsightly (4)
4 Mineral used in plaster of Paris (6)
5 An expression of alarm (3)
6 Spillage (8)
9 Keyboard star (8)
12 Chief (7)
13 Rich, moist cake (6)
16 Suffering from pains (4)
18 Middle-Earth menace (3)

Crossword 258

Across

1 Dubious (11)
7 Burning (3)
8 Commerce restriction (7)
9 Rolled tortilla dish (4)
10 Located (6)
13 Hardened area of the skin (6)
14 Visual app identifier (4)
16 Originality (7)
18 Area of real estate (3)
19 Defuse tension through honesty (5,3,3)

Down

1 Vocational higher-education institute (11)
2 Visual (7)
3 Popular jeans (4)
4 Portable (6)
5 Bitumen (3)
6 Organizer (11)
11 Inner-ear cavity (7)
12 More complete (6)
15 Foundation tale (4)
17 Compete (3)

Crossword 259

Across

1 Transitional period (7)
5 Plays music for a group (abbr.) (3)
7 Tint (3)
8 Royal surname (7)
9 Plant with edible purple root (4)
10 Country bordering Alaska (6)
12 Dining furniture (6)
13 Web layout language (init.) (4)
15 Provide with healthy food (7)
16 It's used by a fish to steer (3)
17 Bro's opposite (3)
18 Played the violin (7)

Down

1 Denizens (11)
2 Approximately (11)
3 Tiers (4)
4 Of the mind (6)
5 Unpleasant (11)
6 Aerodynamic (11)
11 Feeling (6)
14 Landlocked African country (4)

Crossword 260

Across

1 Inconsistent (3-2-4)
8 Flip over (5)
9 Jettisons (5)
10 Long-handled spoons (6)
12 Succulent tropical plant (4)
14 Places down gently (4)
15 Passages found on book jackets (6)
17 A period of time (5)
18 Amber, eg (5)
20 Undoing (9)

Down

2 Rage (3)
3 Lots and lots (6)
4 Created (4)
5 Taster (7)
6 Completely developed (4-5)
7 Appraising (9)
11 Between sunrise and sunset (7)
13 Warnings (6)
16 Internet phenomenon (4)
19 Our closest star (3)

Crossword 261

Across
3 Honesty (5)
6 Cannoli filling (7)
7 Male monarchs (5)
8 Military exercise (5)
9 Aardvark's dinner (3)
11 Sweep (5)
13 Talents (5)
15 Helmet-mounted screen (init.) (3)
18 Monster slain by Hercules (5)
19 Shortest digit (5)
20 Not identified (7)
21 Incorrect (5)

Down
1 Looking glass (6)
2 Unwise (7)
3 Removing (6)
4 Elbow bone (4)
5 Booing sound (4)
10 Straightening out (7)
12 Baloney (6)
14 Tossed (6)
16 Cache (4)
17 Traditional Japanese sport (4)

Crossword 262

Across
1 Fly into a rage (2,9)
7 Paradise (7)
8 Novice, perhaps (3)
9 Fissure (4)
11 Cops (6)
13 Group of competing teams (6)
14 Roe (4)
16 *Avatar* actress, Saldana (3)
17 Extensive tree-covered areas (7)
19 Divisions (11)

Down
1 Not specialized (11)
2 Drinks counter (3)
3 Uncut bread (4)
4 Back to back (2,1,3)
5 Inclined (7)
6 General agreements (11)
10 Sudden outburst (5-2)
12 Feel pain (6)
15 Percussion instrument (4)
18 One of seven deadly things (3)

Crossword 263

Across
1 Powered cutting blade (8,3)
7 Association (11)
8 Carefree existence (4,2,5)
13 Making too full (11)
18 Dissimilarly (11)
20 Alarming; scary (4-7)

Down
2 Mesopotamian, nowadays (5)
3 Attractive young woman (5)
4 Fib (3)
5 Swiss grated potatoes dish (5)
6 Same (5)
9 Opponent (3)
10 Nocturnal bird of prey (3)
11 Suggested vitamin intake, eg (init.) (3)
12 Flower garland (3)
14 'Behold!' (5)
15 Redirect (5)
16 Feasts (5)
17 Synthetic clothing material (5)
19 Mandela's homeland (init.) (3)

Crossword 264

Across
1 Motivated (6)
4 Jetty (4)
8 Firing (7)
9 Bite sharply (3)
10 Frost (4)
11 Woman graduate (6)
13 Winged childlike being (6)
14 Oscar-winning actress, Hathaway (4)
16 Barman's query (3)
17 Move to a better job (7)
18 Short message or letter (4)
19 Part of a larger group (6)

Down
1 Demolition (11)
2 Inept (11)
3 Way out (4)
5 Causing public shame (11)
6 Substitute (11)
7 Nimble (5)
12 Skips over (5)
15 Mashed soya-bean curd (4)

Crossword 265

Across
1 Modern devices (10)
7 In a dormant state (6)
8 Penalty (4)
9 Squads (5)
11 Like a reptile's skin (5)
13 Snide, critical comments (5)
14 Elegance (5)
16 Test version, in software (4)
18 Respectable (6)
20 Rules beneath a word (10)

Down
2 Oriental (7)
3 Weeding implement (3)
4 'Sorry!' (4)
5 Policeman or policewoman (7)
6 Japanese currency (3)
10 Part person, part fish (7)
12 Grant permission (7)
15 Central European river (4)
17 Large Australian bird (3)
19 Twenty-second Greek letter (3)

Crossword 266

Across
1 Fugue companion, often (7)
5 Rascal (3)
7 Outrage (7)
8 Type of rock music (3)
9 Litigated (4)
10 Confuse (6)
12 Acquire (6)
13 Scored 100% on (4)
15 Page marker (3)
16 A thousand thousand (7)
17 Stain (3)
18 Luggage handlers (7)

Down
1 Moved (11)
2 Low, living-room furniture (6,5)
3 Eagerly excited (4)
4 Stellar (6)
5 Impotent (11)
6 Happenings (11)
11 Computer graphic (6)
14 Make fuzzy (4)

Crossword 267

Across
1 A leech or mosquito, eg (11)
7 Goal (6)
8 Tall, rounded vases (4)
9 Foggy (5)
11 Post (5)
13 Accessory device (3-2)
14 Groom's partner (5)
16 Haze (4)
18 Wild Asian sheep (6)
20 Heated debate (11)

Down
2 Tried to influence officials (7)
3 Dedicated sonnet (3)
4 Position (4)
5 Sales table (7)
6 A billion years (3)
10 Notion (7)
12 Components (7)
15 Transcontinental defensive alliance (init.) (4)
17 Cultural Revolution leader (3)
19 Expression of surprise (3)

Crossword 268

Across
1 Rare tennis achievement (5,4)
7 In a protective container (5)
8 Not tails (5)
10 Diabolical (4)
11 Determined the value of (6)
14 Two-way switch (6)
15 Dilatory (4)
17 Roughly (5)
19 Not under any circumstances (2,3)
20 Pastors (9)

Down
2 Putting in jeopardy (7)
3 In the altogether (4)
4 Globe (6)
5 She was once Mrs Sinatra (3)
6 Wide-ranging (8)
9 Obliquely (8)
12 Former Soviet bloc hostilities (4,3)
13 It neutralizes an acid (6)
16 Tie together (4)
18 Recurrent muscle-pain ailment (init.) (3)

Crossword 269

Across
1 Forever (11)
7 Lightweight boxing move (4)
8 One-dimensional (6)
9 Nasal cavity (5)
10 Celestial orbs (5)
13 Asks for help (5)
15 Brusque (5)
17 Fit to consume (6)
18 Muslim leader (4)
19 Sacrificing your own needs (4-7)

Down
2 Less full (7)
3 Quicksilver (7)
4 Invalid (4)
5 Eighth Greek letter (5)
6 Threads (5)
11 Greatly frighten (7)
12 Chorus (7)
13 Odists (5)
14 Pivotal (5)
16 Selection of hot and cold plates (4)

Crossword 270

Across
3 Unable to see (5)
6 Spiral-shaped pasta pieces (7)
7 Melodies (5)
8 Vision (5)
9 'And so proved' (init.) (3)
11 Aids (5)
13 Requires (5)
15 Opposite of north (abbr.) (3)
18 Portents (5)
19 Horse carer (5)
20 Sink unblocker (7)
21 Milk processor (5)

Down
1 Useless (6)
2 Diagonally moving pieces (7)
3 Cut into with teeth (6)
4 Taverns (4)
5 Plate (4)
10 Judging (7)
12 Stocky (6)
14 'My brother' in an Elton John song (6)
16 Very old (4)
17 Central points (4)

Crossword 271

Across

1 Changes one thing for another (11)
6 Unlock a shop (4,2)
7 Those who staff a ship (4)
8 Not very nice at all (5)
11 Precipitates (5)
12 Hirsute (5)
13 Hex (5)
17 New Zealand bird (4)
18 Muddled (6)
19 Riding a horse (2,3,6)

Down

1 Exhibited (5)
2 Consecrate (5)
3 Small devils (4)
4 Unfasten (7)
5 Everlasting (7)
9 Saudi, perhaps (7)
10 From Ankara, perhaps (7)
14 Made bearable (5)
15 Long-handled spoon (5)
16 Flightless Australian birds (4)

Crossword 272

Across

1 Post-child home (5,4)
8 Subsidiary theorem in a proof (5)
9 Strolls (5)
10 Abreast (2,4)
12 iPad, perhaps? (4)
14 Egg-shaped (4)
15 Domesticated polecat (6)
17 Reason (5)
18 Widely recognized (5)
20 Millions of digital storage units (9)

Down

2 Silent (3)
3 Awful (6)
4 TV reports (4)
5 Wackier (7)
6 Simultaneously (3,2,4)
7 Aiding (9)
11 Extended article (7)
13 Every seven days (6)
16 Ewe's-milk cheese (4)
19 A single person (3)

Crossword 273

Across
1 Love of life (4,2,5)
7 Pressure (6)
8 Large, scholarly book (4)
9 Metalworker (5)
11 Inuit dwelling (5)
13 Adversary (5)
14 Circle around (5)
16 British actress, Thompson (4)
18 Up to date (6)
20 Solemnity (11)

Down
2 Seat containing a storage space (7)
3 Period of history (3)
4 Time units of a billion years (4)
5 Non-fractional value (7)
6 Drink distilled from molasses (3)
10 Orchestral drum set (7)
12 Positions (7)
15 Close Hindi relative (4)
17 Graduate education degree (init.) (3)
19 Metal food container (3)

Crossword 274

Across
1 Predicted (7)
5 The eighth month (abbr.) (3)
7 Uncertainties (3)
8 In writing (2,5)
9 Chemical element with atomic number 10 (4)
10 Biochemical catalyst (6)
12 Deficits (6)
13 Clenched hand (4)
15 Hug (7)
16 Possible die decision (3)
17 Foot extremity (3)
18 Gradual absorption of ideas (7)

Down
1 Most affable (11)
2 Accountable (11)
3 Toil (4)
4 Cleaning (6)
5 Suffocates (11)
6 Spades and hoes, eg (6,5)
11 Italian-style ice cream (6)
14 Appear (4)

Crossword 275

Across

1 Related to well-formed language (9)
7 Strike repeatedly (5)
8 Evergreen coniferous trees (5)
10 Nervous (4)
11 Shoves (6)
14 Bigger (6)
15 Real (4)
17 One-way electronic component (5)
19 Anticipate with apprehension (5)
20 Outlook (9)

Down

2 Junior (7)
3 Neat (4)
4 Poor excuse (3-3)
5 Charged atom or molecule (3)
6 Requested a second decision (8)
9 Bars temporarily (8)
12 Most difficult (7)
13 Vanquish (6)
16 Dial-up successor (init.) (4)
18 Be in the red (3)

Crossword 276

Across

1 Help (10)
7 Absolute quiet (7)
8 Utmost, with 'degree' (3)
9 Outcry (11)
11 Monk of a certain Christian order (11)
14 Train carriage (3)
15 In name only (7)
16 Manual industrial, as a worker (4-6)

Down

1 Be impertinent (6,4)
2 Power over your own actions (4-7)
3 Seasonal gift-giver (5)
4 Sphere of activity (5)
5 Dependent (11)
6 German leader (10)
10 Fifth month, in French (3)
12 Move in time to music (5)
13 Carved gemstone (5)

Crossword 277

Across
1 Paying excessive attention to the rules (11)
7 Old pieces of cloth (4)
8 Dinner jacket (6)
9 Nervous (5)
10 Looking pale with fear (5)
13 Profits (5)
15 Last of a series (5)
17 Sufficient (6)
18 Marsh-loving plant (4)
19 Lets down (11)

Down
2 Simple wind instrument (7)
3 Embassy (7)
4 Does not forbid (4)
5 Fangs, perhaps (5)
6 Appoint someone king or queen (5)
11 Five-grid sudoku (7)
12 Most nervous and irritable (7)
13 Avarice (5)
14 Statues of gods (5)
16 Small piece of wood (4)

Crossword 278

Across
1 Exacerbating (10)
7 Spoke (6)
8 Gives money for goods (4)
9 Words that say what is happening (5)
11 Skin openings (5)
13 Relating to Eastern countries (5)
14 Sizeable (5)
16 Behaving uncontrollably (4)
18 Having courteous manners (6)
20 As the real person (2,3,5)

Down
2 Newspaper purchasers (7)
3 Vex (3)
4 Sums (4)
5 Enhance (7)
6 Bloke (3)
10 Bed cover (7)
12 Lands (7)
15 Fencing sword (4)
17 Alternative to a CAT scan (init.) (3)
19 Text-speak laugh (init.) (3)

Crossword 279

Across

3 Lesser (5)
6 Smoker's vice (7)
7 Cuts (5)
8 Confess (5)
9 VCR standard (init.) (3)
11 Classic column style (5)
13 Collared garment (5)
15 *Friends* actress, Courteney (3)
18 Squash (5)
19 Developed (5)
20 Protects (7)
21 Threescore (5)

Down

1 Black magic (6)
2 Relating to parody (7)
3 Calendar divisions (6)
4 Bow notch (4)
5 Peril (4)
10 Focus (7)
12 Farce (6)
14 Dwell (6)
16 Bundles of money (4)
17 A trick to deceive somone (4)

Crossword 280

Across

1 Finds (9)
7 Wished (5)
8 Allied (5)
10 Letters (4)
11 Goes up a ladder (6)
14 Salt component (6)
15 Arab military commander (4)
17 Small firework (5)
19 Sugary sweet (5)
20 Empirical experimenter (9)

Down

2 Tacit (7)
3 Relinquish (4)
4 Greatly (6)
5 Long, thin stick (3)
6 Elemental scientists (8)
9 Wrecks (8)
12 Instants (7)
13 Sphere of air (6)
16 Go away quickly (4)
18 GMT (init.) (3)

Crossword 281

Across
1 Skill (9)
8 Overlaid map enlargement (5)
9 Least good (5)
10 Nefarious computer user (6)
12 Chinese dynasty (4)
14 Close (4)
15 Pester (6)
17 Small particle (5)
18 Insignia (5)
20 Small whirlwind (4,5)

Down
2 Greek letter 'X's (3)
3 Each of two (6)
4 Pulls along (4)
5 Stretches with great effort (7)
6 Tool for gutting cod, eg (4,5)
7 Walked unsteadily (9)
11 French country house (7)
13 Distort (6)
16 Sketch (4)
19 Printer resolution (init.) (3)

Crossword 282

Across
1 Outdoor meal (6)
4 Country (4)
8 Freezing (3-4)
9 Urgent call for help (init.) (3)
10 Pepsi rival (4)
11 Blanket wrap (6)
13 The human mind (6)
14 Duo (4)
16 Lion constellation (3)
17 Bringing up (7)
18 Egg yellow (4)
19 Connected (6)

Down
1 In the main (11)
2 Very close together (5,2,4)
3 Metallic element that rusts (4)
5 Organization (11)
6 Dejected (11)
7 Off the cuff (2,3)
12 At that position (5)
15 British singer who duetted with Eminem (4)

Crossword 283

Across

1 Varies (7)
5 Counterpart to sin (abbr.) (3)
7 Writing device (3)
8 Extensive model display (7)
9 Hot on (4)
10 Picturesque (6)
12 Infinitesimally small (6)
13 Post-diving pressure reduction (abbr.) (4)
15 First name abbreviation (7)
16 Living-room appliances (abbr.) (3)
17 Hound (3)
18 Century (7)

Down

1 Repetition (11)
2 Working (11)
3 Small whirlpool (4)
4 Burn (6)
5 Mail to be sent on to multiple people (5,6)
6 Ill-fated (4-7)
11 Complete (6)
14 Mountain valley (4)

Crossword 284

Across

1 In all places (10)
7 Pump in (6)
8 A person's head (4)
9 Swift (5)
11 Is aware of (5)
13 Measuring device (5)
14 Colorado ski resort (5)
16 Strong criticism (4)
18 Cup given as a prize (6)
20 Electricity producing machines (10)

Down

2 Risky undertaking (7)
3 Novel, *The Catcher in the ___* (3)
4 Alongside (4)
5 Grows (7)
6 Internal business phone line (abbr.) (3)
10 Register at a hotel (5,2)
12 Conjunction expressing a choice (7)
15 Mix a liquid (4)
17 Large piece of fallen wood (3)
19 Halloween month (abbr.) (3)

Crossword 285

Across
1 Questioned (11)
7 Damaging animals (6)
8 Light and breezy (4)
9 Opinions (5)
11 First Hebrew letter (5)
13 Gawks at (5)
14 Court official (5)
16 Be next to (4)
18 Small-minded person, informally (6)
20 End up fighting (4,2,5)

Down
2 Requiring (7)
3 Ornamental tree (3)
4 Transport vehicles (4)
5 Provides the means for (7)
6 Be incorrect (3)
10 Grapple in a fight (7)
12 Trailer (7)
15 Gun munitions (4)
17 Ghostly cry (3)
19 Fall sick (3)

Crossword 286

Across
1 Type of lapdog (9)
8 Make mischief (3,2)
9 React to a joke, perhaps (5)
10 Lies in wait for (6)
12 Kills (4)
14 Away without permission (init.) (4)
15 Quick sketch (6)
17 Take advantage of (5)
18 Loud, in music (5)
20 Correspond (9)

Down
2 Hospital head-and-neck doctor (init.) (3)
3 Loads (6)
4 Strong wind (4)
5 Crammed (7)
6 Twin-hulled boat (9)
7 Spoken quietly (9)
11 Tropical evergreen tree (7)
13 Full of happiness (6)
16 Musical legato mark (4)
19 Go bad (3)

Crossword 287

Across
- **1** Perilously (11)
- **7** A mark from a wound (4)
- **8** Toyed (6)
- **9** Healed (5)
- **10** Frown (5)
- **13** Cut heavily (5)
- **15** Digital message (5)
- **17** Surge (6)
- **18** A sworn promise (4)
- **19** Working out, mathematically (11)

Down
- **2** Regular receipt of money (7)
- **3** Planted areas (7)
- **4** Strikes with audible blows (4)
- **5** Decision-making power (3-2)
- **6** Warble (5)
- **11** Solace (7)
- **12** Set-down on paper (7)
- **13** Showing no emotion (5)
- **14** Fool's Day month (5)
- **16** Biblical epistle (abbr.) (4)

Crossword 288

Across
- **1** Someone with an interest in a business (11)
- **6** Firstborn (6)
- **7** Repeated refusals (4)
- **8** Circular paths (5)
- **11** Trials (5)
- **12** Starts to move (5)
- **13** Incensed (5)
- **17** Metal filament (4)
- **18** Comment (6)
- **19** Camera images (11)

Down
- **1** Bulge (5)
- **2** Sound (5)
- **3** Head adornments (4)
- **4** Portable lamp (7)
- **5** Someone eligible to vote (7)
- **9** Swift-running African bird (7)
- **10** Flawless (7)
- **14** Understand (5)
- **15** Wooden frames for oxen (5)
- **16** Boast (4)

Crossword 289

Across
1 Not genuine (11)
7 Sleeveless upper garment (4,3)
8 Circular chart type (3)
9 Depose (4)
11 Agree (6)
13 Habitual practices (6)
14 Air duct (4)
16 internet company (init.) (3)
17 Ceased (7)
19 Affable (4-7)

Down
1 Establishing (11)
2 Well-known doll, Raggedy ___ (3)
3 Burden (4)
4 Hire (6)
5 Of current relevance (7)
6 Alert and coherent (5-6)
10 Soap for washing your hair (7)
12 Logic (6)
15 Baptism receptacle (4)
18 Golfing average (3)

Crossword 290

Across
1 Dislike of everyone (11)
7 In a state of disrepair (4-2)
8 Abound (4)
9 Extremely small amount (4)
10 Stable (6)
13 Pancake mix (6)
16 The price of an item (4)
17 Symbol of slavery (4)
18 Financial (6)
19 Surplus to requirements (11)

Down
2 Sluggishness (7)
3 Try (7)
4 Records, perhaps (5)
5 *Carmen*, eg (5)
6 Delectable (5)
11 Forgives (7)
12 Misery (7)
13 Marshy lake or river outlet (5)
14 Memento (5)
15 Hurriedly search (5)

Crossword 291

Across
1 Pulls away (9)
8 Brightest star in a constellation (5)
9 Potatoes and rice (5)
10 Buccaneer (6)
12 Wireless internet (2-2)
14 Woes (4)
15 Trapped (6)
17 Emotionally insecure (5)
18 Burdened (5)
20 Contingent (9)

Down
2 Cheeky sprite (3)
3 Vitality (6)
4 Affluent (4)
5 Phrasing (7)
6 Crusades (9)
7 Helper (9)
11 Soothe (7)
13 Collared (6)
16 Kind (4)
19 Dull brown (3)

Crossword 292

Across
3 Kid (5)
6 Below (7)
7 Instruct morally (5)
8 Calendar periods (5)
9 Website address (init.) (3)
11 Biblical father of Joseph (5)
13 Clothes for the feet (5)
15 Fix at a particular level (3)
18 Denim legwear (5)
19 Moved by an air current (5)
20 Entrance (7)
21 Vocal music (5)

Down
1 Swiss city (6)
2 Non-portable computer (7)
3 Applauds (6)
4 Camera opening (4)
5 Segments of the week (4)
10 Decreased (7)
12 Entities (6)
14 Dorothy's home (6)
16 Tide movements out to sea (4)
17 Complain; whinge (4)

Crossword 293

Across
1 Without any question (6,5)
7 Formally hiring (11)
8 Irrational water fear (11)
13 Remove an obstacle (5,3,3)
18 Enrolling (11)
20 Briefly (2,1,8)

Down
2 Very dark wood (5)
3 Aquatic, fish-eating mammal (5)
4 Identifying genetic sequences (init.) (3)
5 Surpass (5)
6 Hindu forehead decoration (5)
9 Stop living (3)
10 Scanning text into a computer (init.) (3)
11 'What?' (3)
12 Rival to Mercedes (init.) (3)
14 Type of public protest (3-2)
15 Straighten up (5)
16 Third planet (5)
17 Declare invalid (5)
19 Tit for ___ (3)

Crossword 294

Across
1 Replaced (11)
6 Go aboard (6)
7 Loose soil or earth (4)
8 Complete (5)
11 Store in a secret place (5)
12 Hand covering (5)
13 Normal (5)
17 Saint's aura (4)
18 Middle Eastern language (6)
19 Statesmen (11)

Down
1 Spectacle (5)
2 Christian writings (5)
3 Marks (4)
4 Makes changes to (7)
5 It spans from Portugal to China (7)
9 Erupting mountain (7)
10 Square pasta parcels (7)
14 Shadow (5)
15 Coils of hair (5)
16 Ancient Persian priests (4)

Crossword 295

Across
1 Feasible (11)
7 Choice (6)
8 Appendage (4)
9 Bearing; manner (4)
10 Critique (6)
13 Muslim ruler (6)
16 Cut using sharp blows (4)
17 Industrious insects (4)
18 Omit something (4,2)
19 Advancing (11)

Down
2 Reproduction (7)
3 Dry red Italian wine (7)
4 Interior (5)
5 Buckwheat pancakes (5)
6 Bend in the arm (5)
11 Affected individuals (7)
12 Gradual destruction (7)
13 Restrict (5)
14 Allow to escape (3,2)
15 Speed (5)

Crossword 296

Across
1 Giving up for the greater good (11)
7 Consented (6)
8 Sudden impact (4)
9 Wash out with water (5)
11 Factory (5)
13 In front (5)
14 Greek island (5)
16 Flabbergast (4)
18 Chocolate chip or raisin, eg (6)
20 System of analysis (11)

Down
2 Heartache (7)
3 Small Eurasian deer (3)
4 Crazes (4)
5 One who mends shoes (7)
6 Social campaign group (init.) (3)
10 Loyal (7)
12 Something of no importance (7)
15 Lemon juice, eg (4)
17 Day before Wed (abbr.) (3)
19 Black, liquid fuel (3)

Crossword 297

Across
1 Become angry (3,6,2)
7 Awful (7)
8 Automobile (3)
9 Substitute (4)
11 One of 28 game pieces (6)
13 Source (6)
14 Isolated, flat-topped hill (4)
16 Greek letter after upsilon (3)
17 Trattoria dumplings (7)
19 Alas (11)

Down
1 Chirping insect (11)
2 Attempt (3)
3 Units of electrical resistance (4)
4 He 'was here', according to many wall inscriptions (6)
5 Deliberately mislead (7)
6 Distinctive characteristics of an individual (11)
10 Occurring (7)
12 Small laugh (6)
15 Outdoor garment (4)
18 Young bear (3)

Crossword 298

Across
1 Social worker's log (4,7)
7 On (4)
8 Chemical that resists pH changes (6)
9 Harass (5)
10 Tablets (5)
13 Summoned electronically (5)
15 Bodily sacs (5)
17 Possessing (6)
18 Gaudy (4)
19 Periodicities (11)

Down
2 Receiver (7)
3 Burst violently (7)
4 Unique book number (init.) (4)
5 Waste from a carcass (5)
6 Measures of length (5)
11 Peaceful and picturesque (7)
12 Green, leafy salad vegetable (7)
13 Strength of spirit? (5)
14 Spirit in a bottle (5)
16 Fever (4)

Crossword 299

Across

1 Book with a flexible cover (9)
7 Conceals (5)
8 March (5)
10 Before long (4)
11 Lacking strength (6)
14 Revamp (6)
15 And (4)
17 Become liable for (5)
19 Group of stars known as 'The Hunter' (5)
20 Contrasting (9)

Down

2 Phone operating system (7)
3 Simple difficulty level (4)
4 Pester (6)
5 Pigeon sound (3)
6 Synonym finders (8)
9 Agreeable (8)
12 A thousand million (7)
13 Incite (4,2)
16 Wild pig (4)
18 Head honcho, in a firm (init.) (3)

Crossword 300

Across

1 Inflatable hose inside a tyre (5,4)
8 Fragrance (5)
9 Turns over and over (5)
10 Neatened (6)
12 Greek letter after epsilon (4)
14 Youths (4)
15 Fashion chain (6)
17 A seat hung on chains (5)
18 Nobles (5)
20 Crisis (9)

Down

2 Object in space that's near to Earth (init.) (3)
3 Pencil remover (6)
4 Grassed earth (4)
5 Notions (7)
6 Crass (9)
7 Found (9)
11 Early 20th-century art movement (7)
13 Basic (6)
16 Culture medium (4)
19 Top-left computer key (3)

Crossword 301

Across
1 Tenth calendar month (7)
5 Hit the slopes? (3)
7 Groundwork (11)
8 Back of the neck (4)
10 Doorkeeper (6)
12 Least friendly (6)
13 Pale yellow Dutch cheese (4)
15 Believer in social equality (11)
17 'Yippee!' (3)
18 Competes against (7)

Down
1 Obnoxiously (11)
2 The 'new' Friday? (abbr.) (3)
3 Augur (4)
4 Quantitative relations (6)
5 Blemished (7)
6 Tools (11)
9 First in rank (7)
11 Language of the Inuit and Yupik peoples (6)
14 Edible freshwater fish (4)
16 Type of rear-wheel vehicle suspension (init.) (3)

Crossword 302

Across
1 Cease a process (11)
6 Esteemed (6)
7 Mountaintop (4)
8 Housing contract (5)
11 Literary work (5)
12 Splash cash, perhaps (5)
13 Requested (5)
17 Maple or spruce (4)
18 Foreign childcarer (2,4)
19 Assume control (4,3,4)

Down
1 Satan (5)
2 Ballroom dance (5)
3 Graph point (4)
4 Brings about by authority (7)
5 Ignorant (7)
9 Large retail outlets (7)
10 Heartfelt (7)
14 Jack (5)
15 Took a chance (5)
16 Soft, pulped food (4)

Crossword 303

Across
1 Not available for use (3,2,6)
7 Iniquitous (6)
8 Cancel, on a computer (4)
9 Combat engagement (5)
11 Agitate (5)
13 Intense suffering (5)
14 In accordance with (2,3)
16 Is indebted to (4)
18 Averts (6)
20 Rural scenery (11)

Down
2 Joining (7)
3 Acorn-bearing tree (3)
4 Assistant (4)
5 Contacts (7)
6 Weird (3)
10 Actual; real (5-2)
12 Worked dough (7)
15 Henry VIII's final wife, Katherine (4)
17 Try to win (3)
19 Gives the thumbs-up (abbr.) (3)

Crossword 304

Across
1 Pointing in the right direction (11)
7 Cores (4)
8 Inexpensive restaurant (6)
9 Maritime (5)
10 Assume (5)
13 Conforms (5)
15 Interference pattern (5)
17 Break into parts (6)
18 Weasel relative (4)
19 Designed to be lived in (11)

Down
2 Large-leaved, edible plant (7)
3 Great joy (7)
4 Baths (4)
5 The start of a song (5)
6 Leave somewhere (2,3)
11 Outdoor shoe-wiping rug (7)
12 Predatory South American fish (7)
13 More senior (5)
14 Projecting roof edges (5)
16 No more than (4)

Crossword 305

Across
1 Dairy spread (6)
4 Bird of peace (4)
6 From a distant place (6)
7 Bridge charge (4)
8 Karate-like martial art (4,2)
11 Gently encourage (4)
12 Cougar (4)
13 Chucked (6)
16 Lump (4)
17 Belonging to a foreign culture (6)
18 Not naturally blonde, perhaps (4)
19 Doctoral publications (6)

Down
1 Smash (5)
2 Plant barb (5)
3 Hiring process (11)
4 Discovers (7)
5 Potential difference (7)
9 Normally (7)
10 Snatched (7)
14 Mails (5)
15 Waddling waterbirds (5)

Crossword 306

Across
1 Periphery (6)
4 Young sheep (4)
8 Vague ideas (7)
9 Employed sportsman (3)
10 'Be all ___', to listen eagerly (4)
11 Take in an article a second time, eg (6)
13 Julius Caesar's nemesis (6)
14 Calf-length skirt (4)
16 Keyboard modifier (3)
17 Yelled (7)
18 Previous Mauritius inhabitant (4)
19 Repaired (6)

Down
1 Neck of a stringed instrument (11)
2 Disturbed (11)
3 Expand (4)
5 Understood the full worth of (11)
6 Liberal; tolerant (5-6)
7 Small, water-surrounded area of land (5)
12 Search (5)
15 Gag (4)

Crossword 307

Across
1 Dark-plumaged songbird (9)
7 More reasonable (5)
8 Bereaved woman (5)
10 Professional charges (4)
11 Orbit (6)
14 Suds (6)
15 Poker stake (4)
17 Agave with sharp leaves (5)
19 Bypass (5)
20 Poker hand (4,5)

Down
2 Lax (7)
3 Feel concern (4)
4 Formal neckwear (3,3)
5 Divest (3)
6 Helpfully (8)
9 Not weekdays (8)
12 Bans (7)
13 The sale of goods (6)
16 Edible Polynesian tuber (4)
18 Core of a computer (init.) (3)

Crossword 308

Across
1 Ordinances (11)
6 Temporarily stopped (6)
7 A few (4)
8 Elude (5)
11 Sturdy (5)
12 Desolate (5)
13 Mouse press (5)
17 Spoken (4)
18 Adapt (6)
19 Completely on-message official? (11)

Down
1 Speedy (5)
2 Cucumber or pumpkin (5)
3 Assists (4)
4 Set up (7)
5 Wandering (7)
9 Surface rock formation (7)
10 Large, African ape (7)
14 Dublin residents (5)
15 Canoe (5)
16 Youth hostel (init.) (4)

Crossword 309

Across
- **1** Handling, as in an issue (10)
- **7** Tolerates (6)
- **8** Burst of breath (4)
- **9** Baffle (5)
- **11** Sear in a pan (5)
- **13** Plant with daisy-like flowers (5)
- **14** Code word for 'O' (5)
- **16** Make a long cut in (4)
- **18** Jokes (6)
- **20** Food blenders (10)

Down
- **2** Discussions (7)
- **3** Former worker (abbr.) (3)
- **4** Decorative cloth band (4)
- **5** Brings into a country (7)
- **6** Web graphic format (init.) (3)
- **10** Conductor (7)
- **12** Wear away (7)
- **15** Adhesive (4)
- **17** Cut off (3)
- **19** Hikes; raises (3)

Crossword 310

Across
- **1** Discomfits (11)
- **7** Unwanted pets (6)
- **8** Daily water movement (4)
- **9** Shelter from the sun (5)
- **11** Below (5)
- **13** Mentally prepare; excite (5)
- **14** Money substitute (5)
- **16** Ray of light (4)
- **18** Suppose (6)
- **20** Good physical condition (11)

Down
- **2** Equals (7)
- **3** Cry of discovery (3)
- **4** Ascend (4)
- **5** Demonic (7)
- **6** Purpose (3)
- **10** Using base ten (7)
- **12** Text revisers (7)
- **15** Vertical stone semicircle (4)
- **17** The seed-bud of a potato (3)
- **19** World's first dedicated news channel (init.) (3)

Crossword 311

Across
1 Double-reed player (6)
4 Young cow (4)
8 Trend (7)
9 Coffee (slang) (3)
10 Tightly curled hairstyle (4)
11 More concise (6)
13 Mythical winged serpent (6)
14 Among (4)
16 Two people (3)
17 Deep-seated (7)
18 Toy on a string (2-2)
19 Sneaky, deceitful person (6)

Down
1 Without much thought (11)
2 Lookout (11)
3 Be appropriate for (4)
5 Modifications (11)
6 Highly reactive molecule (4,7)
7 Kicks with the middle of the leg (5)
12 Sofa (5)
15 Mild, creamy cheese (4)

Crossword 312

Across
1 Spiky tropical fruit (9)
7 Raises (5)
8 System of rules (5)
10 Impoverished (4)
11 Specimen (6)
14 Intense dislike (6)
15 Broad smile (4)
17 Roman moon goddess (5)
19 Train tracks (5)
20 Regularly (9)

Down
2 Leading (2,5)
3 In the past (archaic) (4)
4 Type of neutron star (6)
5 Lower limb (3)
6 Lacking in care (8)
9 Purest (8)
12 Incomplete (7)
13 Retract (6)
16 Small songbird (4)
18 Earlier (3)

Crossword 313

Across

1 Stymies (9)
8 Parental sibling (5)
9 Fairytale villains (5)
10 Happens (6)
12 Tablet (4)
14 Long, angry speech (4)
15 Instructed (6)
17 Video suspension (5)
18 Contraption (5)
20 Free (2,7)

Down

2 Well-known pen brand (3)
3 Conjecture (6)
4 Strange things in the sky (abbr.) (4)
5 Naming (7)
6 Signature (9)
7 Separation (9)
11 Confer (7)
13 Ensnarl (6)
16 Just before the final? (4)
19 Pimple (3)

Crossword 314

Across

1 Involving machinery (10)
7 Inane (6)
8 Immediately following (4)
9 Wrong (5)
11 Disagree (5)
13 Writes with a keyboard (5)
14 Ecstasy (5)
16 Not fully closed (4)
18 Arrangement (6)
20 Obsequiously friendly (5-5)

Down

2 Tidal river mouth (7)
3 Rose fruit (3)
4 Dozes (4)
5 Middle (7)
6 California airport (init.) (3)
10 Drove a car (7)
12 Faulty (7)
15 Cunning plan (4)
17 Poke (3)
19 Second-person pronoun (3)

Crossword 315

Across
1 Need (11)
6 Develops (6)
7 Information (4)
8 Name (5)
11 Optical-beam device (5)
12 Raised platform (5)
13 A smaller number (5)
17 Mosquito-like fly (4)
18 More experimental, artistically (6)
19 Primitive human (11)

Down
1 Cook in an oven (5)
2 Silent, or almost silent (5)
3 Without considering consequences (4)
4 Banal (7)
5 Not any location (7)
9 Profound (7)
10 Become less dark (7)
14 What one? (5)
15 In the countryside (5)
16 Middle Eastern hors d'oeuvre dishes (4)

Crossword 316

Across
3 Sleeved outer garments (5)
6 Educational award (7)
7 Capital of Tunisia (5)
8 It comes before tomorrow (5)
9 Bar order (3)
11 Men (5)
13 Spreadsheet software (5)
15 Make a hole in the ground (3)
18 Goodbye actions (5)
19 Treat cruelly (5)
20 Set of linked internet pages (7)
21 Cheerful (5)

Down
1 Champagne and juice drink (6)
2 Inferred (7)
3 Bovine animals (6)
4 Uncle's wife (4)
5 Not great (2-2)
10 Fatigue (7)
12 Lean and muscular (6)
14 Chooses (6)
16 Clean with water (4)
17 Swelling (4)

Crossword 317

Across
1 Portable (6)
4 Team (4)
6 Be thrifty (6)
7 Small caterpillar (4)
8 Vast (6)
11 Seize (4)
12 Fibster (4)
13 Providing support to (6)
16 'Stop, Rover!' (4)
17 Together (2,4)
18 Lyric poems on a particular subject (4)
19 Close at hand (6)

Down
1 Melodious sounds (5)
2 Feathered animals (5)
3 Anticipation (11)
4 Caught an initial view of (7)
5 Intoxicated (7)
9 Skipped (7)
10 Those killed for religious beliefs (7)
14 Bury (5)
15 Small aquarium fish (5)

Crossword 318

Across
1 In a prim and proper way (11)
7 Undiluted (4)
8 Archimedes's shout (6)
9 Harden; mentally prepare (5)
10 Many times (5)
13 Commerce (5)
15 Wide (5)
17 Unpleasant sounds (6)
18 A single manufactured item (4)
19 Vanished (11)

Down
2 Earth's midriff? (7)
3 Make-believe (7)
4 It could be treble or bass (4)
5 Sound made by a sheep or goat (5)
6 Have an intense longing (5)
11 Mathematical rule expressed with symbols (7)
12 Inspect thoroughly (7)
13 Adjusted pitch (5)
14 The Ram (5)
16 Immediately (init.) (4)

Crossword 319

Across
7 A sampled extent (11)
8 Slow-moving mass of ice (7)
9 Hostel (3)
10 Someone trained to look after the sick (5)
12 Natural sweetener (5)
13 Rocky height (3)
14 Doom (7)
16 Offered (11)

Down
1 Creative (11)
2 Heroic tale (4)
3 Emitting light (11)
4 Exemplified (11)
5 Typing (6)
6 Stupefying munition (4,7)
11 Almost never (6)
15 Deserve (4)

Crossword 320

Across
1 Modification (10)
7 Agree to (6)
8 Church benches (4)
9 Beat (5)
11 Land masses surrounded by water (5)
13 Dense; bulky (5)
14 Castle refuges (5)
16 Den (4)
18 Trading place (6)
20 Courtesy (10)

Down
2 Speech (7)
3 Poetic 'before' (3)
4 Interested in painting (4)
5 Deadlock (7)
6 Australian state (init.) (3)
10 A few more than a few (7)
12 Put into words (7)
15 Not include (4)
17 Software for a portable device (3)
19 A fast jog (3)

Crossword 321

Across

1 Principally (2,3,4)
7 Shifted (5)
8 Roused (5)
10 Country bumpkin (4)
11 All over the place (6)
14 Nun (6)
15 Stimulate; spur (4)
17 Mathematical summation symbol (5)
19 Devoutness (5)
20 Toughest (9)

Down

2 Beginners (7)
3 Conceal (4)
4 Cutting, as grass (6)
5 Kind (3)
6 Special prominence (8)
9 In the present era (8)
12 Inures (7)
13 Smoothly, in music (6)
16 Digital photograph filetype (init.) (4)
18 Figure out (3)

Crossword 322

Across

1 Completely settled (3,3,5)
7 Metal fasteners (6)
8 Game, '_ ___ with my little eye' (1,3)
9 Inheritors (5)
11 Measured with a stopwatch (5)
13 Test score (5)
14 Gawked at (5)
16 A story of heroic adventure (4)
18 Consign (6)
20 Eager disposition (11)

Down

2 Not easy to see (7)
3 A gorilla, eg (3)
4 Platter (4)
5 Destroying (7)
6 Olympic code for Spain (init.) (3)
10 Extreme (7)
12 Foes (7)
15 Digitally import a paper document (4)
17 Internal computer expansion port (init.) (3)
19 Males (3)

Crossword 323

Across
1 Warrant (6)
4 Program instructions (4)
6 Irish, eg (6)
7 Years ago (4)
8 Portable computer (6)
11 Alternative to Windows (4)
12 Social, black-and-white whale (4)
13 Not uniform (6)
16 Slightly wet (4)
17 Boeing attack helicopter (6)
18 Gazed at (4)
19 Break the surface (6)

Down
1 Celestial being (5)
2 Swift curving movement (5)
3 Summarize (11)
4 Ending (7)
5 Refuse (7)
9 By the time mentioned (7)
10 Caught (7)
14 Cleric (5)
15 Sibling's daughter (5)

Crossword 324

Across
1 Scientific investigators (11)
7 Manure (4)
8 Inhaler target (6)
9 'L'-size clothing (5)
10 Nearby (5)
13 Toy named after Theodore Roosevelt (5)
15 Halts (5)
17 Brewing crockery (6)
18 Slender, tubular instrument (4)
19 Translated (11)

Down
2 Teach (7)
3 Betrothed (7)
4 Path for a vehicle (4)
5 Principle (5)
6 Insignificant (5)
11 Consequence (7)
12 Sanction (7)
13 In unison, musically (5)
14 Handled; ___ with (5)
16 Dance unit (4)

Crossword 325

Across
1 Or else (9)
8 Not a soul (2,3)
9 Flat geometric surface (5)
10 Hurt (6)
12 Unarmed combat sport (4)
14 Ardent (4)
15 One-dimensional (6)
17 Wire (5)
18 Widespread destruction (5)
20 Dear (9)

Down
2 Likewise (3)
3 Elan (6)
4 Rub down (4)
5 A written law (7)
6 Beforehand (2,7)
7 A form of government (9)
11 Receptacle for letters (7)
13 Desires (6)
16 Give up, as in power (4)
19 Vivian, to her friends (3)

Crossword 326

Across
1 Finger entries (10)
7 Stay attached (6)
8 Lay eyes on (4)
9 Self-respect (5)
11 Alcoholic fermented-juice drink (5)
13 Competing (5)
14 Banded ornamental stone (5)
16 Salve (4)
18 Completely without (6)
20 Achieve (10)

Down
2 Advanced in years (7)
3 Understand (3)
4 Cylinder to wind film onto (4)
5 Retaining (7)
6 Gradually weaken (3)
10 Driving (7)
12 Involves (7)
15 Actor, Sandler (4)
17 Indication of an alternative name (init.) (3)
19 *Batman* actor, Kilmer (3)

Crossword 327

Across

1 Financial obligations (11)
6 Physical substance (6)
7 Of the type previously mentioned (4)
8 Latin-American ballroom dance (5)
11 Confusion (3-2)
12 Adult female (5)
13 Concur (5)
17 Connected (4)
18 Highfalutin (2-2-2)
19 In advance (5,2,4)

Down

1 Boundary (5)
2 Follow, as in advice (3,2)
3 Formal title for a baron (4)
4 Sampling (7)
5 Keep out (7)
9 Do away with (7)
10 Parent's father (7)
14 Touch-based healing technique (5)
15 Uplift (5)
16 Too (4)

Crossword 328

Across

1 Anger at an inability to do something (11)
7 Creators (6)
8 Concluding passage (4)
9 Sorceress (5)
11 Living creature (5)
13 Wandering person (5)
14 Lopsided (5)
16 Personal magnetism (slang) (4)
18 Meekly (6)
20 Unable to hear a thing (4,2,1,4)

Down

2 Without hesitation (7)
3 Appeal formally (3)
4 Coarse metal file (4)
5 Entry documents (7)
6 Not young anymore (3)
10 Unfasten a boat (4,3)
12 Sewing tools (7)
15 Hence (4)
17 Rock containing metal (3)
19 Key atlas feature (3)

Crossword 329

Across
1 Accurately (9)
7 Located (5)
8 Fictional investigator, Drew (5)
10 Consumed frugally: ___ out (4)
11 Oblige (6)
14 Goodies (6)
15 Enthusiasm of performance (4)
17 Disney's flying elephant (5)
19 Put words on paper (5)
20 Implanting (9)

Down
2 Offensive (7)
3 Frees (4)
4 Narrow, steep valley (6)
5 Nickname for Evelyn (3)
6 Took exception (8)
9 Less brave, informally (8)
12 Iranian (7)
13 A single pen move (6)
16 Was indebted to (4)
18 *James Bond* distributor (init.) (3)

Crossword 330

Across
1 Series of road junctions (11)
7 Mineral-rich rocks (4)
8 Blue shade (6)
9 Pack donkey (5)
10 Extremely corpulent (5)
13 Detective's prospects (5)
15 Attest (5)
17 Contracted (6)
18 Been located (4)
19 Ending (11)

Down
2 Cherish (7)
3 Guaranteed (7)
4 Short note of debt (4)
5 Racket (5)
6 Run away (5)
11 Pamphlet (7)
12 Segment (7)
13 Hungarian composer (5)
14 Prophet (5)
16 An unspoilt paradise (4)

Crossword 331

Across
1 Facts and information (9)
8 Related to a town (5)
9 Functions (5)
10 Brought about (6)
12 Arabian river valley (4)
14 Task to be completed (2-2)
15 Large, crushing snake (6)
17 Become one (5)
18 Scowl (5)
20 Theorize (9)

Down
2 Small lump (3)
3 Wished for (6)
4 Slips up (4)
5 David's biblical conquest (7)
6 Midday meal interval (9)
7 Allocating (9)
11 Experience (7)
13 Spectacle (6)
16 Leather waist accessory (4)
19 Cereal species grown for its seeds (3)

Crossword 332

Across
1 Sweet, soft red fruit (10)
7 Crooked (6)
8 Cleans the floor (4)
9 Jumps a rope (5)
11 Ward off (5)
13 Thoughts (5)
14 Reproduce exactly (5)
16 Rewrite (4)
18 North Pole area (6)
20 Transcriptions (10)

Down
2 Expressed gratitude (7)
3 Mountain pasture (3)
4 Chums (4)
5 Separation (7)
6 Sharp barking sound (3)
10 Artificial; unnatural (7)
12 Raving at length (7)
15 Couple (4)
17 TV time-shifter (init.) (3)
19 On-screen special effects (init.) (3)

Crossword 333

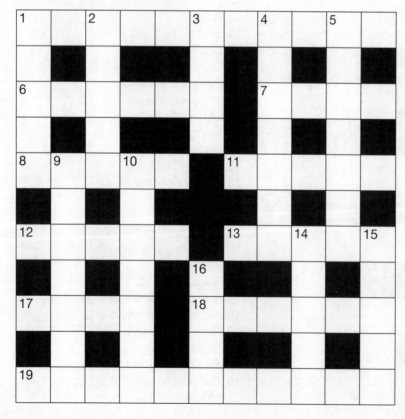

Across
1 Lottery (10)
6 Destroyed (6)
7 Ancient Chinese dynasty (4)
10 Creative people (7)
12 Ex-Korean president, Kim ___-jung (3)
13 Fingers and thumbs count (3)
14 Having a resemblance (7)
15 Prompted an actor (4)
18 Relax after a tense period (6)
19 Supports (10)

Down
1 Scathing; mocking (9)
2 Being (9)
3 Gratifies (7)
4 Leather-piercing tool (3)
5 *Evita* heroine (3)
8 Pampering (9)
9 Changes a decision (9)
11 Small discussion group (7)
16 Purpose (3)
17 *Word* file format (3)

Crossword 334

Across
1 Separated (11)
6 Self-justification (6)
7 Material for burning (4)
8 Native of Bern (5)
11 Walk (5)
12 Regions (5)
13 Grown-up (5)
17 Close (4)
18 Bushy, aromatic plant of the mint family (6)
19 Recognizes the value of (11)

Down
1 Journalists (5)
2 *The Addams Family* actress, Christina (5)
3 Those people (4)
4 Proposed (7)
5 Round part in the human vision system (7)
9 Combat vessel (7)
10 Appetizer (7)
14 Not yet hardened (5)
15 Spanish snacks (5)
16 In fashion (4)

Crossword 335

Across
1 Come to nothing (4,7)
7 Large wasp (6)
8 Stalk (4)
9 Opposite of female (4)
10 Strain (6)
13 Set of things working together (6)
16 Chutzpah (4)
17 Tilt (4)
18 Hidden hacking software (6)
19 Failing to notice (11)

Down
2 Irregularity (7)
3 With greatest duration (7)
4 Loathes (5)
5 Free from knots (5)
6 Residences (5)
11 Provide fresh supplies (7)
12 Bear the weight of (7)
13 Artillery burst (5)
14 Disgrace (5)
15 Maxim (5)

Crossword 336

Across
1 Expediency (11)
7 'See you!' (3-3)
8 Starchy food grain (4)
9 Arrive at (5)
11 Entangles (5)
13 The clear sky (5)
14 Luminous (5)
16 Pelt (4)
18 Conduct oneself well (6)
20 Rude lack of thanks (11)

Down
2 Money given for goods (7)
3 Celestial body (3)
4 Hike (4)
5 Caring for (7)
6 Word acknowledging a known error (3)
10 Less dirty (7)
12 Developed (7)
15 Encourage wrongdoing (4)
17 Flesh and blood (3)
19 Really warm (3)

Crossword 337

Across
- **3** Suspends (5)
- **6** Violent windstorm (7)
- **7** Before (5)
- **8** Previous (5)
- **9** Ribcage muscle (3)
- **11** Bog (5)
- **13** Steer a vehicle (5)
- **15** Easy concession (3)
- **18** Area between the ribs and the hips (5)
- **19** Someone's frequent location (5)
- **20** Not lawful (7)
- **21** Holy memento (5)

Down
- **1** Sadness (6)
- **2** Tells (7)
- **3** Domiciled (6)
- **4** They're used to catch fish (4)
- **5** Commonly eaten fish (4)
- **10** Comes up with (7)
- **12** Lyric (6)
- **14** Ocular (6)
- **16** French 'dear' (4)
- **17** Aquatic bird (4)

Crossword 338

Across
- **1** Misleading statement (4-5)
- **7** Turn around quickly (5)
- **8** Expectorate (5)
- **10** Writing table (4)
- **11** Small, sealed bag (6)
- **14** Placed inside another object (6)
- **15** Mentally well (4)
- **17** Ballroom dance (5)
- **19** Well-known (5)
- **20** Lawyers (9)

Down
- **2** Noms de plume (7)
- **3** Movie (4)
- **4** Ethnological (6)
- **5** Greek 'T' (3)
- **6** Pupils (8)
- **9** Impetuous people (8)
- **12** Fit (7)
- **13** Creamy ice cream (6)
- **16** By an unknown author (abbr.) (4)
- **18** Tennis umpire's call (3)

Crossword 339

Across

1 'Sorry – what?' (4,5)
8 Period of darkness (5)
9 Joyful-sounding key (5)
10 Removes from a property (6)
12 At no cost (4)
14 City in Homeric legend (4)
15 Boat (6)
17 Curie's gas (5)
18 Spicy cuisine (5)
20 Suggestions (9)

Down

2 Expression of surprise, online (init.) (3)
3 Thing (6)
4 Exercise locations (4)
5 Wounds (7)
6 Forefathers (9)
7 Arctic country (9)
11 Neat and tidy (2,5)
13 Has a chemical response (6)
16 Break suddenly (4)
19 Between Jun and Aug (abbr.) (3)

Crossword 340

Across

1 Persistently (10)
7 Layers of rock (6)
8 Very black (4)
9 Plain rings (5)
11 Remains of a fire (5)
13 Tree of the genus *Fagus* (5)
14 Slender woman (5)
16 Yin counterpart (4)
18 Unification (6)
20 Costume (5,5)

Down

2 Appalling act (7)
3 Resort based around a spring (3)
4 A horse of a breed prized for swiftness (4)
5 Wanting a drink (7)
6 Tibetan ox (3)
10 Ten-sided polygon (7)
12 Hires for work (7)
15 Far from certain (4)
17 Hitchcock to his friends, maybe (3)
19 Respectful address (3)

Crossword 341

Across
1 Tiled picture (6)
4 Choose (4)
6 Hindu principle of cosmic order (6)
7 A large quantity (4)
8 Wonder at (6)
11 Possible hair infestation (4)
12 Stern (4)
13 Mammary duct opening (6)
16 Command to halt a horse (4)
17 Bothering (6)
18 Young troublemaker (4)
19 Hotel patrons (6)

Down
1 Internet provider device (5)
2 Step (5)
3 Difficult (11)
4 Long, tapering, edible root (7)
5 Seaside (7)
9 Some different person (7)
10 Different version (7)
14 Ailments (5)
15 Boundaries (5)

Crossword 342

Across
3 One hundredth of a rial (5)
6 Holding space (7)
7 Produce (5)
8 Appoint (2-3)
9 'Give __ _ break!' (2,1)
11 Grant (5)
13 Take pleasure in (5)
15 Kelly, Australian outlaw (3)
18 Cares (5)
19 New (5)
20 Shoves (7)
21 Cane made from twigs, historically (5)

Down
1 Leisurely walk (6)
2 Noble gas used in lasers (7)
3 Extent (6)
4 Shielded recess (4)
5 Break (4)
10 Fretful (7)
12 Affluence (6)
14 Peculiarity (6)
16 Small lump of a substance (4)
17 Affirm (4)

Crossword 343

Across

1 Orders the production of (11)
7 Slander (6)
8 Small round marks or spots (4)
9 Portion (5)
11 Completely (5)
13 Wide open in amazement (5)
14 Pilfer (5)
16 Silly person (4)
18 Mentally prepares for a task, with 'up' (6)
20 Exploratory (11)

Down

2 Gap (7)
3 Bird hunted to extinction by the Maori (3)
4 Hunt (4)
5 Open to question (2,5)
6 Crank (3)
10 Washington DC, eg (7)
12 Cured animal skin (7)
15 Unwanted email (4)
17 Conflict (3)
19 Intense desire (3)

Crossword 344

Across

1 Puts too much into (9)
8 Specks (5)
9 Red-flowered plant (5)
10 Give money back (6)
12 Know about (2,2)
14 Function (4)
15 Handkerchief alternative (6)
17 Back of the feet (5)
18 Surprise (5)
20 Foolishness (9)

Down

2 Large tank (3)
3 Dislike (6)
4 'My bad!' (4)
5 Relies (7)
6 Series of ranks (9)
7 Revelation (3-6)
11 Hazel tree (7)
13 Sorcerer (6)
16 'Right away!' (init.) (4)
19 Not hesitate (3)

Crossword 345

Across

1 Sue (9)
7 Fashionable (5)
8 Relating to vision (5)
10 Merit (4)
11 Combat tool (6)
14 Cleaned (6)
15 Cat sound (4)
17 Automaton (5)
19 Tempers (5)
20 Each person (9)

Down

2 Left office (7)
3 States (4)
4 Shuts (6)
5 Add, with 'up' (3)
6 Creator (8)
9 Brightness companion? (8)
12 Filled, as in a gap (7)
13 Superior (6)
16 Snatch (4)
18 Beverley, to her friends (3)

Crossword 346

Across

7 Shortens (11)
8 Antiseptic (7)
9 Sound-level booster (3)
10 Actor, Atkinson (5)
12 Four to one, eg (5)
13 Subjective subject (3)
14 Aggravation (7)
16 Layout (11)

Down

1 Lettuce and anchovies dish (6,5)
2 Competent (4)
3 Assigning (11)
4 Flame-retardant (11)
5 In the end (2,4)
6 Instead of (2,7,2)
11 Irrigates (6)
15 Reared (4)

Crossword 347

Across
1 Idolization (4-7)
7 Floor protector (3)
8 Public transport marker (3,4)
9 Christmas carol (4)
10 Erasable writing implement (6)
13 Working as a thespian (6)
14 Place of trade (4)
16 Free from restraint (7)
18 Confucian path of virtuous conduct (3)
19 Events that have been undergone (11)

Down
1 Qualities common to all mankind (5,6)
2 Peaceful and secluded place (7)
3 Spiders' homes (4)
4 Refreshed (6)
5 Keeps the sun off your head (3)
6 Sets of inhabitants (11)
11 Disordered (7)
12 Not just (6)
15 'You', once upon a time (4)
17 Insolence (3)

Crossword 348

Across
1 Unremittingly (11)
6 Just about (6)
7 Wire animal box (4)
8 Stop (5)
11 Snap (5)
12 Eating utensil (5)
13 Ride a bike (5)
17 Fall in drops (4)
18 Department (6)
19 Conventional (11)

Down
1 Relating to charged particles (5)
2 Coronet (5)
3 Underworld river (4)
4 Colonial ruler on behalf of a sovereign (7)
5 Reasoned (7)
9 Hadrian or Augustus (7)
10 Browsed (7)
14 Unsoiled (5)
15 Of the same value (5)
16 Newspaper death notice (4)

Crossword 349

Across
- **1** Fired (6)
- **4** Well behaved (4)
- **6** Combines (6)
- **7** Dispatched (4)
- **8** Two-channel audio (6)
- **11** At the time of (4)
- **12** Thrust with a knife (4)
- **13** Fairly (6)
- **16** Small, jumping insect (4)
- **17** Winter stalactite (6)
- **18** Combustible heap (4)
- **19** Intermeshed (6)

Down
- **1** Closes (5)
- **2** Clock's hourly sound (5)
- **3** Realizing (11)
- **4** Hand signal (7)
- **5** Possible result of a defensive error in soccer (3,4)
- **9** Completely (7)
- **10** Lung-protecting bones (7)
- **14** More pleasant (5)
- **15** Cede (5)

Crossword 350

Across
- **1** Spin-off (2-7)
- **7** Informs (5)
- **8** Iranian language (5)
- **10** Greasy (4)
- **11** Low singers (6)
- **14** Small laugh (6)
- **15** Soft body powder (4)
- **17** Offspring (5)
- **19** Existing (5)
- **20** Magazine (9)

Down
- **2** Large piece of wood burned at Christmas (4,3)
- **3** Healthy-looking, as skin (4)
- **4** Overcome (6)
- **5** Rogue (3)
- **6** Powerfully (8)
- **9** Under cover (2,6)
- **12** Removing outer fish parts (7)
- **13** Minor (6)
- **16** Landlocked African country (4)
- **18** Alaska and forty-nine others (init.) (3)

Crossword 351

Across
1 Preconceived opinion (9)
8 Deduce (5)
9 Young dog (5)
10 Decoration for a present (6)
12 Recipe measure (abbr.) (4)
14 Profit (4)
15 Become fond of (4,2)
17 Unprincipled person (5)
18 Jewish scholar (5)
20 Backed by advertisers (9)

Down
2 Sports arbiter (3)
3 Lingo (6)
4 Immerses (4)
5 Able (7)
6 Neglect (9)
7 Harmonious (9)
11 Raise (5,2)
13 Coiffure (6)
16 Legume (4)
19 Pollinating insect (3)

Crossword 352

Across
1 Less far away (6)
4 Small mountain (4)
8 Automaton (7)
9 Enclose with insulation (3)
10 *Beautiful Creatures* actress, Rossum (4)
11 Illegible handwriting (6)
13 Deposit cargo (6)
14 Thigh to lower leg joint (4)
16 Deceitful person (3)
17 Disturbed (7)
18 Direction to look to see the sun rise (4)
19 Boundary (6)

Down
1 Undercover name (3,2,6)
2 Gathers (11)
3 Give off (4)
5 Rude (3-8)
6 Valid coins and banknotes (5,6)
7 Bird's resting place (5)
12 Lift (5)
15 Car driven by a chauffeur (4)

Crossword 353

Across
3 Liberates (5)
6 Hair on a cat's face (7)
7 Tolerate (5)
8 Purchase amount (5)
9 The end of a hind limb of an animal (3)
11 Conjuring tricks (5)
13 Get up from sitting (5)
15 Shed tears (3)
18 Less (5)
19 Polynesian language (5)
20 Via unknown means (7)
21 'Look happy!' (5)

Down
1 Tibetan mountaineer (6)
2 Seer (7)
3 Painting borders (6)
4 Way out (4)
5 Hard, white fat (4)
10 Hits (7)
12 Voyage (6)
14 Brain cell (6)
16 Music boosters (4)
17 Asana teacher (4)

Crossword 354

Across
1 Strictly; according to the facts (11)
7 Leaning typeface (6)
8 A die, eg (4)
9 Ensnares (5)
11 Ignoramus (5)
13 Simpleton (5)
14 Tale (5)
16 Whirled (4)
18 Manual counting tool (6)
20 Malleability (11)

Down
2 Input (7)
3 *2001: A Space Odyssey* computer (3)
4 Crawl (4)
5 Description (7)
6 Hit a ball over an opponent (3)
10 Legendary bird (7)
12 Debased (7)
15 Apparel (4)
17 Buddy (3)
19 Completely (3)

Crossword 355

Across
1 LPs (7)
5 Jamaican musical style (3)
7 Breed of small dog with long silky hair, informally (3)
8 Good qualities (7)
9 Planetarium (6)
10 Is the right size (4)
12 Large, round container (4)
13 Video-chat need (6)
15 Most beautiful (7)
16 Coffee dispenser (3)
17 Meat joint (3)
18 Greek god of wine (7)

Down
1 Shameful (11)
2 Squeezing (11)
3 Waterways (6)
4 Browse the Web (4)
5 Backless sofa that doubles as a bed (6,5)
6 Appraisals (11)
11 From Wales, eg (6)
14 Parsley or sage (4)

Crossword 356

Across
1 Mirrored (9)
7 Lunch and dinner, eg (5)
8 Enjoyed (5)
10 Comet trail (4)
11 Gaps (6)
14 Consume (6)
15 Loose and flowing outer garment (4)
17 Interactive entertainment player (5)
19 Odd (5)
20 Study of the universe (9)

Down
2 Deleting (7)
3 Defeat (4)
4 Muslim spiritual leader (6)
5 Largest living deer (3)
6 Leaving out (8)
9 Throws away (8)
12 Shutting (7)
13 Hindu retreat (6)
16 Truant off base (init.) (4)
18 Former Chinese Chairman (3)

Crossword 357

Across
1 Blamelessness (9)
8 Ready to be poured (2,3)
9 Ready to fight (5)
10 Cheapen (6)
12 Silk garment worn draped around the body (4)
14 Dipped in yolk (4)
15 Religious festival (6)
17 Unaccompanied (5)
18 Artificial waterway (5)
20 Skilled, elder politician (9)

Down
2 Louse's egg (3)
3 Resist (6)
4 Energy (4)
5 Scope (7)
6 First-prize award (4,5)
7 Praiseworthy (9)
11 Yeti-like creature (7)
13 Portions (6)
16 Restricted (4)
19 The Chicago Bulls play in it (init.) (3)

Crossword 358

Across
1 Emanating (11)
7 Very handsome young man (6)
8 Printing error? (4)
9 Escape from danger (4)
10 Bring into action (6)
13 Spiritual focal point, in yoga (6)
16 Mother of Zeus (4)
17 Operatic solo (4)
18 Prizes (6)
19 Head of an order of chivalry (5,6)

Down
2 He pulls Santa's sleigh (7)
3 Weapons location on a ship (3,4)
4 Pried (5)
5 Rustic paradise (5)
6 What Britain is a land of, according to Elgar (5)
11 Maybe (7)
12 Late (7)
13 Loud, jarring sound (5)
14 Inner self (5)
15 Siren (5)

Crossword 359

Across
1 Pretending to be (10)
7 Bring in from abroad (6)
8 Deep breath of relief or sadness (4)
9 Bump (5)
11 Sells (5)
13 Christmas-card adjective (5)
14 Enlighten (5)
16 Island dance (4)
18 Large concert venues (6)
20 Written good-luck wish (3,3,4)

Down
2 Enormous (7)
3 Branded card game (3)
4 Voice between soprano and tenor (4)
5 Alternatively (7)
6 Practical joke (3)
10 Panacea (4-3)
12 Wins a victory over (7)
15 Walking track (4)
17 Longest wavelength ultraviolet radiation (init.) (3)
19 Flow back (3)

Crossword 360

Across
1 The office of a domestic affairs manager (11)
7 Inexpensively (7)
8 Yes vote (3)
9 Filled a suitcase (6)
11 Existed (4)
13 Very similar (4)
14 No specific people (6)
16 Make a knot (3)
17 From an Eastern continent (7)
19 Formal meetings (11)

Down
1 Fawning (11)
2 Shepherd's responsibility (3)
3 More plentiful (6)
4 There are seven in a week (4)
5 Dismissal (5-2)
6 Choices (11)
10 Add a point of view (5,2)
12 Ask to an event (6)
15 Destiny (4)
18 Convulsive muscle twitch (3)

Crossword 361

Across
1 Concentrates on a particular area (11)
7 Putrid (6)
8 Long-handled gardening tools (4)
9 Musical speed (5)
11 Falls (5)
13 Speak without a script (2-3)
14 Rant and rave (5)
16 Injure (4)
18 Not clever (6)
20 Equates (11)

Down
2 Continue (7)
3 GMT-5, in the summer (init.) (3)
4 Pimply skin condition (4)
5 Receive from your parents (7)
6 Day before a big event (3)
10 On-screen cursor (7)
12 Expressed (7)
15 Men (4)
17 Alien spaceship (init.) (3)
19 You-know-___ (3)

Crossword 362

Across
1 Tens of hundreds (9)
8 Jeans fabric (5)
9 Sped (5)
10 Amend (6)
12 Henry VIII's final wife, Katherine (4)
14 Lara Croft might raid it (4)
15 *Zelda* currency (6)
17 Fault (5)
18 Diving bird (5)
20 Principal church (9)

Down
2 Female chicken (3)
3 Most extreme (6)
4 4,840 square yards (4)
5 Give orders (7)
6 Benefit (9)
7 Recipient (9)
11 Kingston's island (7)
13 Deemed (6)
16 Mark a pattern onto glass (4)
19 Age (3)

Crossword 363

Across
1 Diagonally moving chess piece (6)
4 Roll of thunder (4)
6 Feature (6)
7 Be dejected or apathetic (4)
8 Large soup dish (6)
11 Expresses publicly (4)
12 Butter used in Indian cooking (4)
13 Principles (6)
16 Suspend (4)
17 Plan; map (6)
18 Opposite of evens (4)
19 Pines for something (6)

Down
1 Large animal (5)
2 Awesome (5)
3 In theory (11)
4 Assess similarities and differences (7)
5 Garments (7)
9 Not listened to (7)
10 Appears (7)
14 Secret lover (5)
15 Locations (5)

Crossword 364

Across
1 Entrance lobby (9)
7 Hotel room amenities, perhaps (5)
8 Off-limits through social convention (5)
10 Preconquest American (4)
11 Small stone (6)
14 Even chance (4-2)
15 *Monty Python* actor, Idle (4)
17 Liabilities (5)
19 Rips (5)
20 Stenographic writing (9)

Down
2 Results (7)
3 Check (4)
4 Full of resentment (6)
5 Scientist's workplace (3)
6 Aided (8)
9 Cloudy (8)
12 Negotiate (7)
13 Desktop arrow (6)
16 Urge (4)
18 'Harrumph!' (3)

Crossword 365

Across
3 Sum up (5)
6 Platinum anniversary (7)
7 Belief system (5)
8 Accidental liquid release (5)
9 All Souls' Day month (abbr.) (3)
11 Severe abdominal pain (5)
13 One after eighth (5)
15 Married title (3)
18 Thin columns of smoke (5)
19 Domain (5)
20 Fashionable (7)
21 Has emotions (5)

Down
1 Avoid leaving (4,2)
2 Hold forth (7)
3 Magnate (6)
4 Foot digits (4)
5 Boys (4)
10 Deliberately cruel (7)
12 Muscle spasms (6)
14 Tall, cylindrical headwear (3,3)
16 University teacher (4)
17 A grown-up leveret (4)

Crossword 366

Across
1 Name (11)
7 Sell (4)
8 London clock tower (3,3)
9 Daily news journal (5)
10 Large, strong box (5)
13 Taut (5)
15 Live (5)
17 One-off (6)
18 No longer there (4)
19 North-eastern part of the Indian Ocean (3,2,6)

Down
2 Introduction (7)
3 Unceasing (7)
4 Lower part of the ear (4)
5 Permeate (5)
6 Nine-voice group (5)
11 Six-sided shape (7)
12 Woman in the Book of Daniel (7)
13 Hitchhiking gesture (5)
14 Raucous (5)
16 'Doing' part of speech (4)

Crossword 367

Across
1 Counsellor (7)
5 Christmas month (abbr.) (3)
7 Ledger-copying sheet (6,5)
8 Assert (4)
10 Slovenly (6)
12 Dickens's Dodger? (6)
13 Nothing (4)
15 Put into effect (11)
17 Numerals (abbr.) (3)
18 Male sibling (7)

Down
1 Clear approval (11)
2 Once used to record TV (init.) (3)
3 Booted (4)
4 Feel remorse for (6)
5 Impoverish (7)
6 Indian seasoning (5,6)
9 Eight-legged sea creature (7)
11 Five-star (6)
14 Nevada gambling resort (4)
16 'Truthfully', when texting (init.) (3)

Crossword 368

Across
1 Cover (6)
4 High (4)
8 Oval (7)
9 Doctor of philosophy (abbr.) (2,1)
10 Brace; get ready (4)
11 In open view (6)
13 Ambush (6)
14 Prefix meaning 'one thousand' (4)
16 Satisfied, as in a condition (3)
17 River crossings (7)
18 Title (4)
19 In a lively way (6)

Down
1 Female priest (11)
2 The sun and its orbiting bodies (5,6)
3 Bites sharply (4)
5 Really badly (11)
6 Ridiculously (11)
7 Food choices (5)
12 Domestic cat (5)
15 Speech defect affecting 's' (4)

Crossword 369

Across
1 Able to be got hold of (10)
7 Circumvent (6)
8 Type of grain (4)
9 Yellow quartz (5)
11 Peruses (5)
13 Glued down, perhaps (5)
14 Feeling of dread (5)
16 Rough whirring sound (4)
18 Absorb; assimilate (6)
20 Gatherings (10)

Down
2 Refuse to take part in (7)
3 Blind __ _ bat (2,1)
4 Central facial feature (4)
5 Relating to binary algebra (7)
6 Approximate (abbr.) (3)
10 Treaties (7)
12 Handicap (7)
15 Company (4)
17 *Kill Bill* actress, Thurman (3)
19 Audio intensity unit (3)

Crossword 370

Across
1 Original example (9)
8 Cholesterol, eg (5)
9 Venomous snake (5)
10 Be about to happen (6)
12 Old Italian monetary unit (4)
14 Handheld device (4)
15 Able to kill (6)
17 Key bread ingredient (5)
18 Lawful (5)
20 Endorsing (9)

Down
2 Grave letters (init.) (3)
3 Concealing (6)
4 Vocational college (4)
5 Print (7)
6 Complainant (9)
7 Equivalences (9)
11 Suggest (7)
13 Securely closed (6)
16 Half a sextet (4)
19 Pistol (3)

Crossword 371

Across

7 Thoughtful (11)
8 Improve (7)
9 Owing (3)
10 Woolly ruminant (5)
12 Possessor (5)
13 Definitive word (3)
14 Indecent (7)
16 Spectacular (11)

Down

1 Bought asset (11)
2 Warm and comfortable (4)
3 Lets down (11)
4 Improvement (11)
5 Toughen (6)
6 The study of weather (11)
11 Evacuates from a pilot's seat (6)
15 Churn (4)

Crossword 372

Across

1 Sparkle (11)
6 Assistance (6)
7 Rings for mortal men, in *The Lord of the Rings* (4)
8 Compel (5)
11 Kick off (5)
12 Warehouse (5)
13 Very short tribesman (5)
17 Long narrow strip of fabric (4)
18 Hospital department (6)
19 Corresponding opposite (11)

Down

1 Letter-finishing stroke (5)
2 Sluggard (5)
3 Details (4)
4 Prolonged (7)
5 Cut-paper puzzle (7)
9 Culinary herb related to mint (7)
10 Draw near (5,2)
14 Italian seaport (5)
15 Sailing boat (5)
16 *Road Runner* company (4)

Crossword 373

Across
1 Fractions of a minute (7)
5 Classic arcade game, ___-Man (3)
7 Extra, deciding match (4-3)
8 Has too much of something (abbr.) (3)
9 Sauce thickener (4)
10 Two-piece swimwear (6)
12 Indifference (6)
13 Rugged utility vehicle (4)
15 Large, ornamental carp (3)
16 Course outlines (7)
17 Silvery-white metal (3)
18 Transform (7)

Down
1 Large food store (11)
2 Blood solidification process (11)
3 Used in fluorescent lamps (4)
4 Word ending (6)
5 Spread rapidly (11)
6 For example (4,2,5)
11 Medicinal drugs, archaically (6)
14 Tribe (4)

Crossword 374

Across
3 Recreation areas (5)
6 Not as big (7)
7 Hip bone (5)
8 Large, white waterbird (5)
9 California's country (init.) (3)
11 Chuck (5)
13 Miley Cyrus move (5)
15 Implement used for cleaning floors (3)
18 Moves through water (5)
19 Alarm call (5)
20 Listening to (7)
21 Juicy, stoneless fruit (5)

Down
1 Not rough (6)
2 Flowers on a bush (7)
3 Religious leader (6)
4 A bar in a fence (4)
5 Alike (4)
10 Clumsy (7)
12 Laudable (6)
14 Ancient Italians (6)
16 Plaster or clay wall coating (4)
17 Alcoholic malt drink (4)

Crossword 375

Across
1 Operating costs (9)
8 Church keyboard (5)
9 Less revealing (5)
10 Selected (6)
12 Flat, round type of bread (4)
14 Chamber (4)
15 Nepalese soldier (6)
17 Item (5)
18 Place to stay overnight (5)
20 Blocked with mucus (9)

Down
2 Laze about (slang) (3)
3 Raved (6)
4 Every one (4)
5 Boat-repair site (3,4)
6 Company-related (9)
7 Irascible (9)
11 Spicy pork sausage (7)
13 Dashes (6)
16 Very eager to hear (4)
19 Golf-ball holder (3)

Crossword 376

Across
1 Suitable (11)
7 Looked for (6)
8 Following straight after (4)
9 Essential (5)
11 Daring trick (5)
13 Phobias (5)
14 Rewrites (5)
16 Whirl (4)
18 Release from a catch (6)
20 Be killed (4,3,4)

Down
2 Pledge (7)
3 Scrap of cloth (3)
4 Sorrow for another's misfortune (4)
5 Caught fire (7)
6 Dinner jacket (3)
10 Organize (7)
12 Countries (7)
15 Quiet; silence (4)
17 Penultimate Greek letter (3)
19 Covered up (3)

Crossword 377

Across
1 Make uniform (11)
6 Less experienced (6)
7 Ninth month (abbr.) (4)
8 Makes visible (5)
11 Celtic priest (5)
12 Passage between seats (5)
13 Proverb (5)
17 Famous female opera singer (4)
18 Second-largest continent (6)
19 Tactless (11)

Down
1 Makes vocal music (5)
2 Mexican friend (5)
3 Spiritual glow (4)
4 Wanted (7)
5 Shooting, such as with a laser (7)
9 Caribbean language (7)
10 Well-being (7)
14 Corroboration (5)
15 Dodge (5)
16 Sacks or suitcases (4)

Crossword 378

Across
1 Hard to control or manage (11)
7 Metal with atomic number 30 (4)
8 Donating (6)
9 Cry of excitement (5)
10 Wept (5)
13 Put on clothes (5)
15 Drive; urge (5)
17 Skin image (6)
18 Line about which a body rotates (4)
19 Identification procedures (11)

Down
2 Not this one nor that one (7)
3 Guesses (7)
4 Toothed wheels (4)
5 Pancakes served with sour cream (5)
6 Bordered (5)
11 Widespread (7)
12 Mournful (7)
13 Unfashionable (5)
14 Minor actor (5)
16 Tramp (4)

Crossword 379

Across

1 Mentioned (10)
7 Grim Reaper's tool? (6)
8 The London Underground (4)
9 'Things' (5)
11 City area (5)
13 Official decree (5)
14 Upright (2,3)
16 New Testament book (4)
18 Hasty (6)
20 Moves (10)

Down

2 Enthusiastic (7)
3 Have a meal (3)
4 Equal, as in odds (4)
5 From Barcelona, eg (7)
6 When you were born (init.) (3)
10 Pendulous ornamental shrub (7)
12 Approval (7)
15 Exasperates (4)
17 A small wound (3)
19 'No seats left', on Broadway (init.) (3)

Crossword 380

Across

1 Material wealth (6)
4 Specific day (4)
6 Summing (6)
7 Sly look (4)
8 Mute (6)
11 Large crowds of people (4)
12 Pain-in-the-neck (4)
13 Blown away (6)
16 Red, raised mark (4)
17 Spain and Portugal (6)
18 Eye up (4)
19 Male child sponsored at a baptism (6)

Down

1 Complains about things (5)
2 Olympic decoration (5)
3 Arranging (11)
4 Difficult decision (7)
5 Quiver (7)
9 Floating mass of frozen water (7)
10 Give a right to (7)
14 Noughts (5)
15 Careworn (5)

Crossword 381

Across

3 Teacher (5)
6 Ordinal day of rest, biblically (7)
7 Following on behind (2,3)
8 Initial (5)
9 Prayer, '___ Maria' (3)
11 Fix a computer program (5)
13 Expel (5)
15 Underwater boat (3)
18 Hold responsible (5)
19 More recent (5)
20 Create (7)
21 Intimates (5)

Down

1 Specify (6)
2 Large northern constellation (7)
3 Steal (6)
4 Adds, with 'up' (4)
5 Propels with oars (4)
10 Develops (7)
12 Protects (6)
14 Ordinary; usual (6)
16 Cross with a looped upper arm (4)
17 One of a matching pair (4)

Crossword 382

Across

1 Duplicate piece of paper (9)
8 Internal (5)
9 Construct (5)
10 Came to a halt (6)
12 Finished (4)
14 Tall, deciduous trees with rough leaves (4)
15 Against (6)
17 Bright (5)
18 Polite (5)
20 Camouflaging (9)

Down

2 Post-Qin Chinese dynasty (3)
3 Roasting bird (6)
4 Young foxes (4)
5 Intoxicates (7)
6 Head honcho (3,6)
7 Detrimentally (9)
11 Reference calendar (7)
13 Signal light (6)
16 Funeral fire heap (4)
19 Vehicle for transporting goods (3)

Crossword 383

Across

1 Revelations (11)
7 The time ahead (6)
8 Last testament (4)
9 Attractively well-shaped, as a body part (4)
10 Added up (6)
13 Take from a library (6)
16 Former Soviet news service (4)
17 Spanish carmaker (4)
18 Less well off (6)
19 Contrasts; parallels (11)

Down

2 Before birth (2,5)
3 Knot (7)
4 Suddenly changes course (5)
5 Colloquialism (5)
6 Not liquid or gaseous (5)
11 Techniques (7)
12 Asian (7)
13 Fundamental (5)
14 Give new weapons to (5)
15 Window-cleaning implement (5)

Crossword 384

Across

7 Moved from one place to another (11)
8 Exclusions (3-4)
9 Hairstyling substance (3)
10 Leaving (5)
12 Riversides (5)
13 Habitually, in verse (3)
14 Distance covered (7)
16 Dismantle (11)

Down

1 Fortified places (11)
2 Hang around (4)
3 Satisfaction of a desire (11)
4 Practicality (11)
5 Fantasy beast (6)
6 Teenagers (11)
11 Unbroken (6)
15 Relating to water (4)

Crossword 385

Across

1 Courteous (11)
7 Scorch (4)
8 Long, jagged mountain range (6)
9 Amusements (5)
10 Assists with a crime (5)
13 Pursue (5)
15 Conform (3,2)
17 Dissimilar (6)
18 Pesters (4)
19 Very tall buildings (11)

Down

2 Mascara target (7)
3 Goals (7)
4 Allay (4)
5 Give medical attention to a sick person (5)
6 Groups of twelve months (5)
11 To strengthen physically (5,2)
12 Gun-firing lever (7)
13 Hints (5)
14 Backstreet (5)
16 Rip (4)

Crossword 386

Across

1 Unutterable (11)
6 Quick peek (6)
7 Wind direction indicator (4)
8 Distrust (5)
11 Massage (5)
12 Legumes (5)
13 Pester (5)
17 Clothing (4)
18 Eavesdrop (6)
19 Forecasts (11)

Down

1 Exhorted (5)
2 Major mix-up, informally (5)
3 'Pardon me...' (4)
4 Move forward (7)
5 Ancestry (7)
9 Outside; unenclosed (4,3)
10 Two-storey sleep furniture (4,3)
14 Get started with gusto (3,2)
15 Minds (5)
16 Allied countries (4)

Crossword 387

Across
1 Set up (9)
8 Dull paint finish (5)
9 Copious (5)
10 Stick on (6)
12 Small piece of cloud (4)
14 Ridge of jagged rock or coral (4)
15 More drawn-out (6)
17 Sign of a fire (5)
18 Sugary (5)
20 Arrive and depart as you please (4,3,2)

Down
2 Go for (3)
3 Savage (6)
4 Gradually wear away (4)
5 Crudely splitting paper (7)
6 Make self-conscious (9)
7 Relating to a mild climate (9)
11 Wavering singing effect (7)
13 Toxin (6)
16 Festival; celebration (4)
19 Shelled food item (3)

Crossword 388

Across
1 Execution party (6,5)
7 Roman mother of Jupiter (3)
8 To achieve as hoped (7)
9 Aching (4)
10 Sneaky, deceitful person (6)
13 Endured (6)
14 Wheel furrows (4)
16 Entail (7)
18 Winter ailment (3)
19 Evocative (11)

Down
1 Infantryman (4,7)
2 Hotel complexes (7)
3 Headland (4)
4 Holy (6)
5 Four-stringed Hawaiian instrument (3)
6 Absolutely nothing (6-5)
11 Walk without lifting your feet (7)
12 Tea variety (6)
15 Honey gatherers (4)
17 Enthusiasm (3)

Crossword 389

Across
1 Shift the blame (4,3,4)
7 Unneeded extras (6)
8 Crow relatives (4)
9 Separates, as in flour (5)
11 Stockholm resident (5)
13 Drinking tube (5)
14 Building schematics (5)
16 Measure of electrical power (4)
18 Region (6)
20 Diminuendo (11)

Down
2 Assign (7)
3 March-to-June season (abbr.) (3)
4 Piece of chaff (4)
5 Adorn with gems (7)
6 Evasive (3)
10 Farm vehicle (7)
12 Gave for free (7)
15 Beats on a serve (4)
17 Number of years old (3)
19 The Emirates (init.) (3)

Crossword 390

Across
1 Elaborately patterned winged insect (9)
7 Spirit of a culture (5)
8 Former South African president, Zuma (5)
10 Industrial fair (4)
11 Glittery Christmas material (6)
14 Removing water from (6)
15 A piece of a skeleton (4)
17 Church tenets (5)
19 Motif (5)
20 Depot (9)

Down
2 Miserable (7)
3 Coin throw (4)
4 Reunite (6)
5 French 'Luke' (3)
6 Relied (8)
9 Adherent (8)
12 Tobacco consumers (7)
13 Risky (6)
16 First modern Greek king (4)
18 India's smallest state (3)

Crossword 391

Across
1 Measuring instruments (6)
4 Corrode (4)
6 Portable computer (6)
7 Polish (4)
8 Respond (6)
11 Snowman decoration? (4)
12 Wreck (4)
13 Moves slowly (6)
16 Drive away (4)
17 Existing from birth (6)
18 Farewells (4)
19 Required (6)

Down
1 Small European island nation (5)
2 Sticky ribbons (5)
3 Oversight (11)
4 Like an automaton (7)
5 Satisfy (7)
9 Mischievous (7)
10 PC OS (7)
14 Biblical king of Judea (5)
15 Edged (5)

Crossword 392

Across
1 Informal labels (9)
8 Relating to a sovereign (5)
9 Soft leather made from sheepskin (5)
10 Arrow-bearing marksman (6)
12 List of options (4)
14 A hundredth of a euro (4)
15 The start of something (6)
17 Pledged (5)
18 Light, narrow, paddled boat (5)
20 Made up of various parts (9)

Down
2 Wall-climbing plant (3)
3 Eliminated (6)
4 Organized force (4)
5 Surpasses (7)
6 Transmit (9)
7 Senses (9)
11 With movement, musically (3,4)
13 Sixteenths of a pound (6)
16 Prune (4)
19 Inverting logic function (3)

Crossword 393

Across
1 Pennies, eg (5,6)
6 Workers' groups (6)
7 Belonging to the reader (4)
8 Because (5)
11 Spare-time activity (5)
12 Farewell (5)
13 Sets of eight bits (5)
17 Expression of sorrow (4)
18 Exaggerate (6)
19 Capable of being convinced (11)

Down
1 Becomes acidic (5)
2 Charged atom or molecule (5)
3 Throw (4)
4 Some person (7)
5 Complaint (7)
9 Pander (7)
10 Both + and × (7)
14 Beat strongly (5)
15 Sleeping sound (5)
16 Common soft drink (4)

Crossword 394

Across
3 Radio tuners (5)
6 Stringed Indian instrument (7)
7 Yell (5)
8 Protective flower sepals (5)
9 'I agree' (3)
11 Large country house (5)
13 Plunge suddenly (5)
15 Unused (3)
18 The hero of *The Lego Movie* (5)
19 Superior to (5)
20 Sticks (7)
21 Sharp extremity (5)

Down
1 Tropical fruit (6)
2 Ancient city on the Euphrates (7)
3 Plates (6)
4 Attract attention on a ship (4)
5 Fill up (4)
10 Flooded (7)
12 Say again (6)
14 Unwrapped (6)
16 Bend out of shape (4)
17 Barren Asian plateau (4)

Crossword 395

Across

1 Limitations (11)
7 Technique (6)
8 Feeling; sensation (4)
9 Taunt (4)
10 Better off (6)
13 Exertion (6)
16 Immoral habit (4)
17 Often, with 'to' (4)
18 Be destroyed by heat (4,2)
19 Thinker (11)

Down

2 Alone, by ___ (7)
3 Playful musical movement (7)
4 Aircraft detection system (5)
5 Horse's whinny (5)
6 Absolute (5)
11 Attempt to conceal wrongdoing (5-2)
12 Keep out (7)
13 Clear your plate (3,2)
14 Mushrooms, eg (5)
15 Conduits (5)

Crossword 396

Across

1 Reservations (6)
4 Positive (4)
6 All your money and possessions (6)
7 Buffoons (4)
8 Core parts (6)
11 British nobleman (4)
12 Thrash (4)
13 Envelope contents? (6)
16 Hindu goddess of death and destruction (4)
17 Group of twelve signs (6)
18 Obstacle (4)
19 Clear silt from a river (6)

Down

1 Female sovereign (5)
2 Caper (5)
3 Technical (11)
4 Earliest (7)
5 Game official (7)
9 Discard from your memory (7)
10 Felling trees (7)
14 Bronze medal position (5)
15 Pleated fabric decoration (5)

Crossword 397

Across

1 Merge together (9)
7 Current craze (5)
8 Dizzy Gillespie's music (5)
10 Egyptian river (4)
11 Angry mood (6)
14 Six-legged creature (6)
15 Get wind of (4)
17 Verve (5)
19 Hazardous (5)
20 Secret sequences (9)

Down

2 Provokes (7)
3 Terminates (4)
4 Red gems (6)
5 Column advancer (3)
6 Rank; status (8)
9 Represents (8)
12 Gratified (7)
13 Repeats (6)
16 Therefore (4)
18 Large expanse of water (3)

Crossword 398

Across

1 Nuisance (9)
8 Gentle push (5)
9 May, eg (5)
10 Secured with a key (6)
12 Erode (4)
14 Cesspool (4)
15 Small fish (6)
17 Country house (5)
18 Sentient mammal (5)
20 Conveys an opinion (9)

Down

2 Confirm with the head (3)
3 Complied (6)
4 Charity for the poor (4)
5 Care (7)
6 All-embracing (9)
7 Tornado (9)
11 Complicated (7)
13 Angles (6)
16 Just and right (4)
19 French lady (abbr.) (3)

Crossword 399

Across
1 Inducing hallucinations (11)
7 Eggs (3)
8 Late October star sign (7)
9 Worthless person (4)
10 Married (6)
13 Huggable (6)
14 Country singer, Campbell (4)
16 Someone with internal knowledge (7)
18 Strike (3)
19 Amused (11)

Down
1 Potential (11)
2 Longed for (7)
3 Master of ceremonies (4)
4 Cowhand (6)
5 Circuit (3)
6 Organized (11)
11 Small toothed whale (7)
12 Unpowered aircraft (6)
15 Field (4)
17 Occupy a position (3)

Crossword 400

Across
3 Oaks and sycamores (5)
6 Fastest land animal (7)
7 Spouted gibberish (5)
8 Simple ear adornments (5)
9 Typical camera interface (init.) (3)
11 Food product made by bees (5)
13 Listens to (5)
15 Useful piece of information (3)
18 Last testaments (5)
19 Holy chalice (5)
20 Strikes out (7)
21 Chairs and benches (5)

Down
1 Depressed area (6)
2 Strongly committed (4,3)
3 Flog (6)
4 Where roof and wall meet (4)
5 Lather (4)
10 Moreover (7)
12 Gives way (6)
14 Depended (6)
16 Eras (4)
17 Wandering Hindu ascetic (4)

Crossword 401

Across
1 Formulation (11)
7 Tater (4)
8 Cigarette addict (6)
9 Absurd (5)
10 Fluster (5)
13 Particularly inferior (5)
15 Solidarity (5)
17 Nest-invading bird (6)
18 Foremost (4)
19 Shrill; extremely loud (3-8)

Down
2 Severely criticize (3,4)
3 Nitpickers (7)
4 Valentine flower (4)
5 Annoyed; bothered (5)
6 Viking (5)
11 Energetic (7)
12 Riga resident (7)
13 Distasteful riches (5)
14 Open sore (5)
16 Gave birth to (4)

Crossword 402

Across
7 Fixes to text (11)
8 Shout out (7)
9 Forelimb from shoulder to hand (3)
10 Abscond with a lover (5)
12 Depart (5)
13 Parabola (3)
14 Whole number (7)
16 Able to be comprehended (11)

Down
1 Sped up (11)
2 Alligator's cousin (4)
3 Base-16 number system (11)
4 Exciting (11)
5 Type of classical music form (6)
6 Visual lacks of balance (11)
11 Live in (6)
15 Small fish with sucker (4)

Crossword 403

Across
1 Diverse (6)
4 Totals up (4)
6 Hospital carers (6)
7 Seed-bearing cereal heads (4)
8 Cattle trough (6)
11 Cut away unwanted parts (4)
12 Glandular fever (4)
13 Programming (6)
16 Spanish painter, Joan (4)
17 Bring in from abroad (6)
18 Kill (4)
19 Tittle-tattle (6)

Down
1 Spite (5)
2 A show being broadcast again (5)
3 Preventing from concentrating (11)
4 Perspired (7)
5 From the red planet (7)
9 Not good at mixing (7)
10 The study of rocks (7)
14 Presses clothes (5)
15 Arise from bed (3,2)

Crossword 404

Across
1 Limited to local concerns (9)
7 Shaggy (5)
8 Culinary herb (5)
10 Pig grunt (4)
11 Uncle's or aunt's child (6)
14 Oat-based breakfast food (6)
15 Heat liquid until it bubbles (4)
17 Fortunate (5)
19 Provide food and drink (5)
20 Late in paying money (2,7)

Down
2 Failure to attend (7)
3 Gemstone (4)
4 Socialize with those of higher status (6)
5 Commercial messages (3)
6 Unusual (8)
9 Someone who rents out property (8)
12 Briefer (7)
13 Participant in a game (6)
16 Pain (4)
18 Jailbird (3)

Solutions

1
```
G E N E R A T I O N S
O   G   O   A   R   U
T O O L B A R     E S P
O       E   I   G     E
T E A L     A F F A I R
H   R   A     F   N   F
E N T E R S     P O L L
D   I   C   S       U
O R C     A L L E G R O
G   L   N   O   A     U
S T E R E O T Y P E S
```

2
```
P U B L I C A T I O N
  P   O   H   O   W
P R A G U E     T O N S
  I       R   A
E G R E T     F L A W S
  H   X       L   I
S T U C K     H Y M N S
      L   I       N
W H O A     N A P K I N
  O   O   I   O   A   N
T E R M I N O L O G Y
```

3
```
F   G   D   S   N   M
I M A G I N A T I V E
E   I   S   L   M   A
L A T T I C E     B A N
D       L   S   L     I
E A S E L     P A E A N
V   T   U   E         G
E T A     S H R I V E L
N   T   I   S   E     E
T A U T O L O G I E S
S   E   N   N   N   S
```

4
```
  I G N O R A N C E
C   E   B   L   H
O U T D O     B R I N G
N   O   E   U       O
S A V E     E M B R Y O
E   E   M   S   E   D
N O R M A N     A N O N
T       Y   H   E   E
S M I T H     T O W N S
    N   E   M   E   S
M A R M A L A D E
```

5
```
  F O R M A T T E D
P   C   I   R   X   A
E A R N S     A D H O C
N       E   P   I   A
T S H I R T     I B I D
H   E   Y   F   I   E
O P A L     B O T T O M
U   V   O   L       I
S M E A R     L Y R I C
E   H   A   O   E   S
  W O R L D W I D E
```

6
```
D E A D E N D     P I N
O   P   M   R   R   O
C I R C U L A T I O N
U       S   W   E   E
M A C E     S U N S E T
E   R   H   P   T   H
N O I S E S     I S L E
T   C   R   F       L
A C K N O W L E D G E
R   E   I   A   A   S
Y E T     C O N F E S S
```

7
```
B R O N Z E M E D A L
  E   O   N   E   I
S P O T     D O L L O P
  L   A S     T   I
L I M B S     A W A R D
    C   L       A   O
F A D E D     A R O M A
E   U   F   R   A
L U M B A R     I N N S
L   M   E   O   C
A S Y M M E T R I E S
```

8
```
I M P L A U S I B L E
  E   O   N   S   I
S M I L E D     L O T S
  E       O   A
A N O D E     K N E E L
  T   E       D   P
P O R C H     A S C I I
      O   E       S
S T U D     D R A F T S
  A   E   I   G   L
C O N D I T I O N E D
```

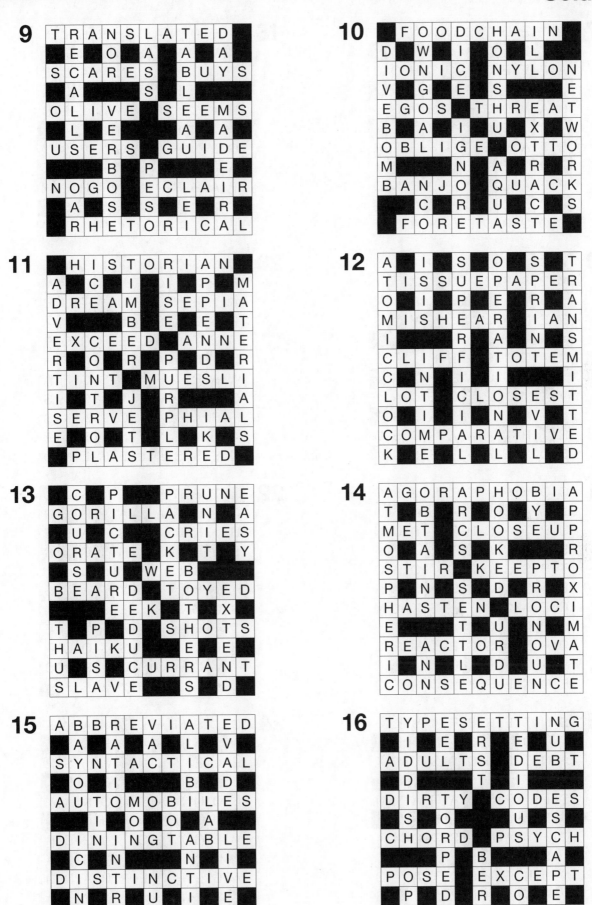

9

T	R	A	N	S	L	A	T	E	D	
	E		O		A		A		A	
S	C	A	R	E	S		B	U	Y	S
	A				S		L			
O	L	I	V	E		S	E	E	M	S
	L		E			A		A		
U	S	E	R	S		G	U	I	D	E
			B		P				E	
N	O	G	O		E	C	L	A	I	R
	A		S		S		E		R	
R	H	E	T	O	R	I	C	A	L	

10

	F	O	O	D	C	H	A	I	N	
D		W		I		O		L		
I	O	N	I	C		N	Y	L	O	N
V		G		E		S				E
E	G	O	S		T	H	R	E	A	T
B		A		I		U		X		W
O	B	L	I	G	E		O	T	T	O
M				N		A		R		R
B	A	N	J	O		Q	U	A	C	K
		C		R		U		C		S
	F	O	R	E	T	A	S	T	E	

11

	H	I	S	T	O	R	I	A	N	
A		C		I		I		P		M
D	R	E	A	M		S	E	P	I	A
V			B		E		E		T	
E	X	C	E	E	D		A	N	N	E
R		O		R		P		D		R
T	I	N	T		M	U	E	S	L	I
I		T		J		R				A
S	E	R	V	E		P	H	I	A	L
E		O		T		L		K		S
	P	L	A	S	T	E	R	E	D	

12

A		I		S		O		S		T
T	I	S	S	U	E	P	A	P	E	R
O		I		P		E		R		A
M	I	S	H	E	A	R		I	A	N
I			R		A		N		S	
C	L	I	F	F		T	O	T	E	M
C		N		I		I				I
L	O	T		C	L	O	S	E	S	T
O		I		I		N		V		T
C	O	M	P	A	R	A	T	I	V	E
K		E		L		L		L		D

13

	C		P			P	R	U	N	E
G	O	R	I	L	L	A		N		A
	U		C			C	R	I	E	S
O	R	A	T	E		K		T		Y
	S		U		W	E	B			
B	E	A	R	D		T	O	Y	E	D
		E	E	K		T		X		
T		P	D		S	H	O	T	S	
H	A	I	K	U		E		E		
U		S		C	U	R	R	A	N	T
S	L	A	V	E		S		D		

14

A	G	O	R	A	P	H	O	B	I	A
T		B		R		O		Y		P
M	E	T		C	L	O	S	E	U	P
O		A		S		K				R
S	T	I	R		K	E	E	P	T	O
P		N		S		D		R		X
H	A	S	T	E	N		L	O	C	I
E			T		U		N			M
R	E	A	C	T	O	R		O	V	A
I		N		L		D		U		T
C	O	N	S	E	Q	U	E	N	C	E

15

A	B	B	R	E	V	I	A	T	E	D
	A		A		A		L		V	
S	Y	N	T	A	C	T	I	C	A	L
	O		I			B		D		
A	U	T	O	M	O	B	I	L	E	S
		I		O		O		A		
D	I	N	I	N	G	T	A	B	L	E
	C		N			N		I		
D	I	S	T	I	N	C	T	I	V	E
	N		R		U		I		E	
A	G	N	O	S	T	I	C	I	S	M

16

T	Y	P	E	S	E	T	T	I	N	G
	I		E		R		E		U	
A	D	U	L	T	S		D	E	B	T
	D				T		I			
D	I	R	T	Y		C	O	D	E	S
	S		O			U			S	
C	H	O	R	D		P	S	Y	C	H
		P		B					A	
P	O	S	E		E	X	C	E	P	T
	P		D		R		O		E	
S	T	R	O	N	G	H	O	L	D	S

Solutions

17

L	I	E	U	T	E	N	A	N	T	S
E		L		A		U		R		
A	F	F	E	C	T		T	H	O	U
S		I		S		H		U		
H	A	N	D	S		B	O	M	B	S
	R		E			R		L		
S	T	A	V	E		U	S	H	E	R
	D		E		E		Y		I	
P	E	A	L		D	E	P	E	N	D
	C		O		G			N		G
C	O	U	P	D	E	G	R	A	C	E

18

T	E	N	T	A	T	I	V	E	L	Y
	M		R		H		N			I
T	U	B	E		I	N	V	A	D	E
	L		K		N		C			L
H	A	C	K	S		A	C	T	E	D
	T		E			R		A		
G	E	N	R	E		G	Y	P	S	Y
A		O		S		P		I		
F	A	B	R	I	C		T	H	E	M
F		L		A		I		S		
E	L	E	C	T	R	I	C	I	T	Y

19

	D		I		S	U	I	T	S	
M	E	S	S	I	A	H		M		I
	S		L			E	X	A	L	T
R	E	N	A	L		L		M		S
	R		M		U	V	A			
A	T	T	I	C		E	P	I	C	S
		C	O	W		P		H		
V		M		L		D	E	C	A	Y
E	M	A	I	L			A		S	
R		R		A	W	A	R	D	E	D
B	U	Y	E	R			S		D	

20

C	O	S	T	L	Y		L	I	M	E
R		W		O		U		N		M
A	V	E	N	G	E	D		T	U	B
F		E		S		D		E		A
T	U	T	U		T	E	R	R	O	R
S		D		A		R		R		R
W	A	R	C	R	Y		S	O	F	A
O		E		R		T		G		S
M	B	A		A	N	O	R	A	K	S
A		M		Y		N		T		E
N	E	S	S		L	E	G	E	N	D

21

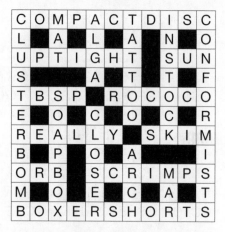

C	O	M	P	A	C	T	D	I	S	C
L		A		L		A		N		O
U	P	T	I	G	H	T		S	U	N
S		A		T		T		T		F
T	B	S	P		R	O	C	O	C	O
E		O		C		O		C		R
R	E	A	L	L	Y		S	K	I	M
B		P		O		A				I
O	R	B		S	C	R	I	M	P	S
M		O		E		C		A		T
B	O	X	E	R	S	H	O	R	T	S

22

	T	E	R	R	O	R	I	S	T	
C		O		A		A		H		D
H	I	N	D	I		S	T	A	L	E
E				S		H		D		S
M	U	S	L	I	N		F	O	C	I
I		Y		N		Y		W		G
S	U	M	S		L	E	S	S	O	N
T		P		F		A				E
R	E	T	R	O		S	C	O	U	R
Y		O		O		T		R		S
	E	M	P	L	O	Y	E	E	S	

23

E	N	T	E	R	P	R	I	S	E	S
X		U		O		N		L		
I	N	T	E	N	D		S	T	Y	X
T		T		S		I		S		
S	L	I	P	S		A	G	A	I	N
	E		L			H		U		
D	I	V	A	N		S	T	O	M	A
	S		T		S		V		C	
N	U	K	E		P	O	T	A	T	O
	R		A		R		T		R	
B	E	A	U	T	Y	Q	U	E	E	N

24

D	I	S	M	A	L		N	A	M	E
W		T		A		E		E		
E	L	E	V	E	N		W	I	S	P
E		R		D		B		S		
B	O	N	S	A	I		O	K	A	Y
	N		H		N		R		G	
M	E	G	A		G	I	N	G	E	R
	N		R		G			R		A
W	E	E	P		E	R	R	A	N	D
	S		L		A			P		A
A	S	H	Y		R	A	T	H	E	R

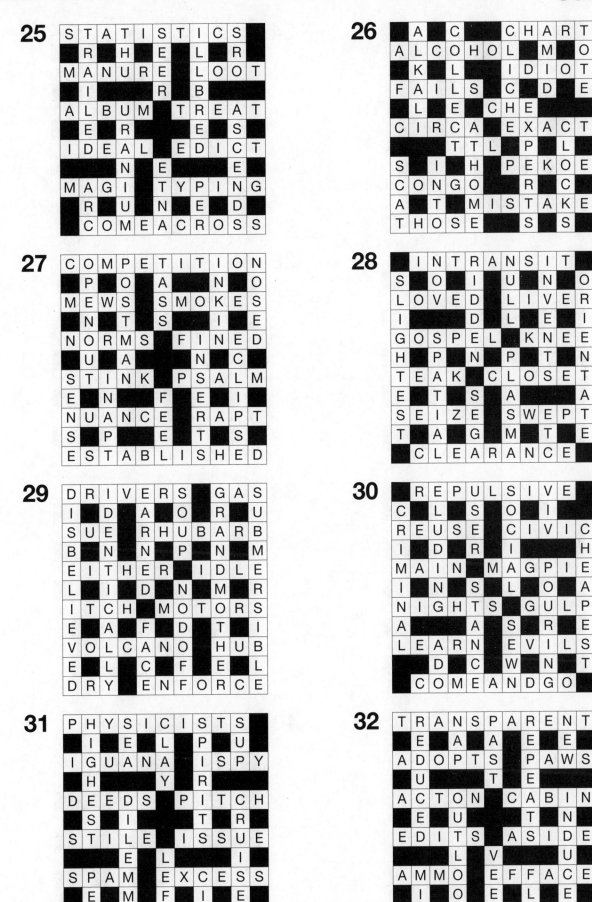

25
STATISTICS
R H E L R
MANURE LOOT
I R B
ALBUM TREAT
E R E S
IDEAL EDICT
N E E
MAGI TYPING
R U N E D
COMEACROSS

26
A C CHART
ALCOHOL M O
K L IDIOT
FAILS C D E
L E CHE
CIRCA EXACT
T T L P L
S I H PEKOE
CONGO R C
A T MISTAKE
THOSE S S

27
COMPETITION
P O A N O
MEWS SMOKES
N T S I E
NORMS FINED
U A N C
STINK PSALM
E N F E I
NUANCE RAPT
S P E T S
ESTABLISHED

28
INTRANSIT
S O I U N O
LOVED LIVER
I D L E I
GOSPEL KNEE
H P N P T N
TEAK CLOSET
E T S A A
SEIZE SWEPT
T A G M T E
CLEARANCE

29
DRIVERS GAS
I D A O R U
SUE RHUBARB
B N N P N M
EITHER IDLE
L I D N M R
ITCH MOTORS
E A F D T I
VOLCANO HUB
E L C F E L
DRY ENFORCE

30
REPULSIVE
C L S O I
REUSE CIVIC
I D R I H
MAIN MAGPIE
I N S L O A
NIGHTS GULP
A A S R E
LEARN EVILS
D C W N T
COMEANDGO

31
PHYSICISTS
I E L P U
IGUANA ISPY
H Y R
DEEDS PITCH
S I T R
STILE ISSUE
E L I
SPAM EXCESS
E M F I E
AVANTGARDE

32
TRANSPARENT
E A A E E
ADOPTS PAWS
U T E
ACTON CABIN
E U T N
EDITS ASIDE
L V U
AMMO EFFACE
I O L E
BACKGROUNDS

Solutions

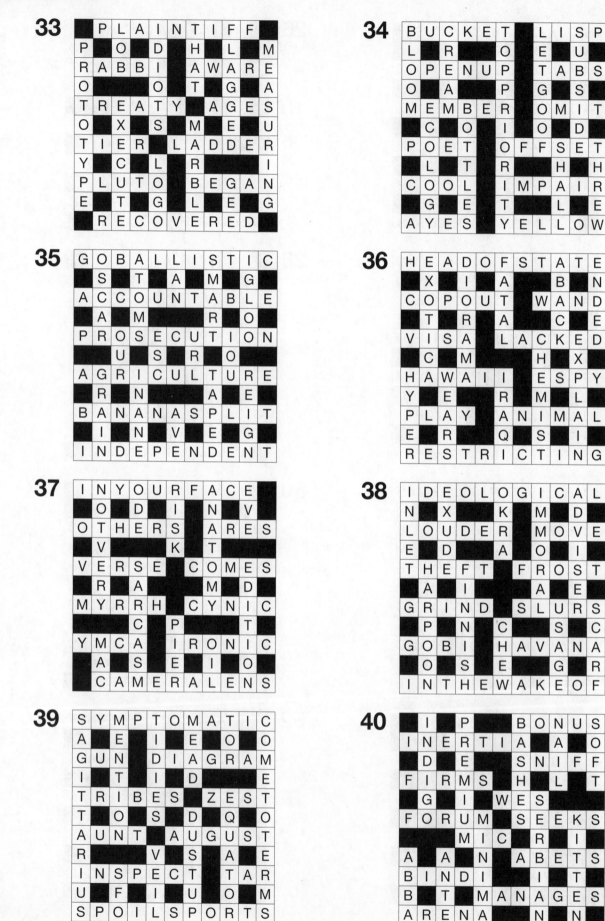

33

| | P | L | A | I | N | T | I | F | F | |
|P| |O| |D| |H| |L| |M|
R	A	B	B	I		A	W	A	R	E
O			O		T		G		A
T	R	E	A	T	Y		A	G	E	S		U
O		X		S		M		E		U
T	I	E	R		L	A	D	D	E	R
Y		C		L		R			I
P	L	U	T	O		B	E	G	A	N
E		T		G		L		E		G
	R	E	C	O	V	E	R	E	D	

34

|B|U|C|K|E|T| |L|I|S|P|
|L| |R| |O| |E| |U|
|O|P|E|N|U|P| |T|A|B|S|
|O| |A| |P| |G| |S|
M	E	M	B	E	R		O	M	I	T
	C		O		I		O		D
P	O	E	T		O	F	F	S	E	T
	L		T		R		H		H
C	O	O	L		I	M	P	A	I	R
	G		E		T		L		E
A	Y	E	S		Y	E	L	L	O	W

35

G	O	B	A	L	L	I	S	T	I	C
	S		T		A		M		G
A	C	C	O	U	N	T	A	B	L	E
	A		M		R		O
P	R	O	S	E	C	U	T	I	O	N
	U		S		R		O
A	G	R	I	C	U	L	T	U	R	E
	R		N		A		E
B	A	N	A	N	A	S	P	L	I	T
	I		N		V		E		G
I	N	D	E	P	E	N	D	E	N	T

36

H	E	A	D	O	F	S	T	A	T	E
	X		I		A		B		N
C	O	P	O	U	T		W	A	N	D
	T		R		A		C		E
V	I	S	A		L	A	C	K	E	D
	C		M		H		X
H	A	W	A	I	I		E	S	P	Y
Y		E		R		M		L
P	L	A	Y		A	N	I	M	A	L
E		R		Q		S		I
R	E	S	T	R	I	C	T	I	N	G

37

I	N	Y	O	U	R	F	A	C	E
	O		D		I		N		V
O	T	H	E	R	S		A	R	E	S
	V			K		T
V	E	R	S	E		C	O	M	E	S
	R		A		M		D
M	Y	R	R	H		C	Y	N	I	C
		C		P			T
Y	M	C	A		I	R	O	N	I	C
	A		S		E		I		O
C	A	M	E	R	A	L	E	N	S

38

|I|D|E|O|L|O|G|I|C|A|L|
|N| |X| |K| |M| |D|
|L|O|U|D|E|R| |M|O|V|E|
|E| |D| |A| |O| |I|
T	H	E	F	T		F	R	O	S	T
	A		I		A		E
G	R	I	N	D		S	L	U	R	S
	P		N		C		S		C
G	O	B	I		H	A	V	A	N	A
	O		S		E		G		R
I	N	T	H	E	W	A	K	E	O	F

39

|S|Y|M|P|T|O|M|A|T|I|C|
|A| |E| |I| |E| |O| |O|
G	U	N		D	I	A	G	R	A	M
I		T		I		D			E
T	R	I	B	E	S		Z	E	S	T
T		O		S		D		Q		O
A	U	N	T		A	U	G	U	S	T
R			V		S		A		E
I	N	S	P	E	C	T		T	A	R
U		F		I		U		O
S	P	O	I	L	S	P	O	R	T	S

40

	I		P		B	O	N	U	S
I	N	E	R	T	I	A		A		O
	D		E		S	N	I	F	F
F	I	R	M	S		H		L		T
	G		I		W	E	S
F	O	R	U	M		S	E	E	K	S
	M	I	C		R		I
A		A		N		A	B	E	T	S
B	I	N	D	I		I		T
B		T		M	A	N	A	G	E	S
A	R	E	N	A		N		N

41

```
C O N C L U S I O N S
  S   A   S   N   D
S T A R T S   V I A L
  R       R   O
F I N D S   S K I R T
  C   R       E   E
T H R O B   A D O R N
    P   G       E
H A L O   A P P E A L
  H   F   G   E   D
R A F F I S H N E S S
```

42

```
  T I M E S C A L E
E   C   D   L   I
S P E E D   U N Z I P
C   C   Y   M   R
A B U T   E S K I M O
P   B   P   Y   M   G
I B E R I A   S P A R
N       C   T   U   E
G E T O N   H I L L S
    B   I   E   S   S
  W H I C H E V E R
```

43

```
I N N O V A T I O N
  O   W   L   G   E
D W E L L S   N O E S
  H       O   O
T E L E X   P R I Z E
  R   A       E   E
M E T R O   A S S A M
  N   N   O       L
T H A I   V E N D O R
  E   N   E   I   U
R E G A R D L E S S
```

44

```
S T A T E M E N T S
T   M   L   O   K
R O U T E D   D R A B
E   S   G   E   R
S H E R I F F   P S I
S   M   A   U   L   G
I R E   C A R W A S H
N   N   T   C   H
G A T E   S H R I N E
  M   V   E   N   S
  P L A Y W R I G H T
```

45

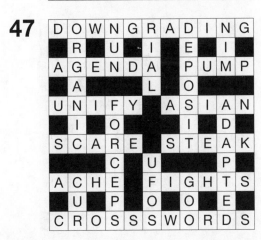

```
G I V E B I R T H T O
O   E   A   U   U   U
V C R   N O S I E S T
E   A   N   T   O
R A N G E D   R E E F
N   D   R   M   M   B
M E A N   J U N I O R
E       H   S   N   E
N U R T U R E   E R A
T   E   N   U   N   T
S A F E T Y M A T C H
```

46

```
S H A R E H O L D E R
Y   V   N   G   E   E
M A G I C A L   F P S
P       O   E   A   T
A N G O R A   E C H O
T   L   E   H   T   R
H E A L   F E D O R A
E   D   U   R       T
T A D   P U N J A B I
I   E   T   I   L   O
C O N S O L A T I O N
```

47

```
D O W N G R A D I N G
  R   U   I   E   I
A G E N D A   P U M P
  A   A   L   O
U N I F Y   A S I A N
  I   O       I   D
S C A R E   S T E A K
    C   U       P
A C H E   F I G H T S
  U   P   O   O   E
C R O S S S W O R D S
```

48

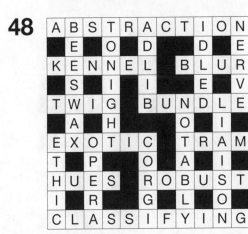

```
A B S T R A C T I O N
  E   O   D   D   E
K E N N E L   B L U R
  S   I   I   E   V
T W I G   B U N D L E
  A   H   O   I
E X O T I C   T R A M
T   P   O   A   I
H U E S   R O B U S T
I   R   G   L   O
C L A S S I F Y I N G
```

Solutions

49

```
  T S     G O A P E
C O C H L E A   X   A
  M   O   T R I P S
B A T C H   E   S   E
  T   K   T A U
G O L E M   U P P E R
      D E W   S   L
P   B   M   M I M I C
H E L L O   L   X
I   O   I D I O T I C
L A G E R     N   R
```

50

```
C H A R I S M A T I C
O   B   N   I   A   O
N E O   C H E A P E R
T   R   U   N       R
R E T O R T   A P S E
I   E   S   U   O   S
B O D Y   S T I R U P
U   T   M   T   O
T O R N A D O   I O N
E   I   C   S   O   D
S U B R O U T I N E S
```

51

```
C O U C H P O T A T O
O   P   A   R   L   S
M U G   T R A F F I C
P   R   E   T       I
L E A P   F O R M A L
I   D   F   R   A   L
C A E S A R   M E S A
A       T   P   S   T
T E A C H E R   T M I
E   B   E   O   R   O
D E S C R I P T I O N
```

52

```
A D J U D I C A T E S
    O   M   O   T   G
G O K A R T   T U G S
    M       A   I
L I P P Y   T R U S T
    N   L       E   E
A G L O W   I D E A S
        T   F       G
D R A T   A R M F U L
    U   E   W   R   L
I N P R I N C I P L E
```

53

```
C O N V E R S I O N S
    P   I   E   Z   Y
S T Y L E S   W O R N
    I   L   E   N   O
E M M A   T H R E A D
    A   G   E   C
A L I E N S   M E E K
B   R   E   A   T
A N K H   V E R B A L
S   E   E   K   T
H I D E A N D S E E K
```

54

```
L I G H T S   S O D A
E   E   T   H   E
A S T H M A   E L S E
N   U   R   L   P
S U P E R B   T O I L
  N   X   I   E   T
W I M P   L U R K E D
  F   I   L   I   E
R O A R   I T A L I C
  R   E   N   L   R
X M A S   G L O S S Y
```

55

```
  L W   B O U N D
S I L E N C E   G   O
  T   L   Y E L P S
S T O C K   O   Y   E
  E   O   I N S
T R A M P   D O E R S
      E R E   U   E
E   F   E   P R I S M
P R O O F   C   O
I   U   A R R E A R S
C A R O B     S   T
```

56

```
  R E P R O D U C E
O   N   E   I   D
B E G I N   S I R E N
S   L   D   M       O
C O I L   H A M M E R
U   S   G   Y   A   T
R E H E A T   T E C H
E   L   L   F   S   E
D I T T O   L A T E R
    A   A   A   R   N
E X C E P T I O N
```

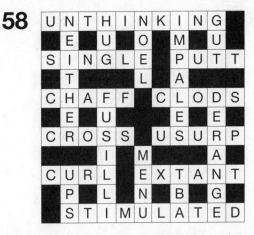

57

```
B A S E B A L L C A P
A   T   W   E   B
N E A R E R   T O U T
A   L   Y   T   S
L I L A C   D E V I L
    R   S   R   V
T A C I T   A S S E S
    N   N J T   Y
M I N I   P L U R A L
    A   N   E   P
U N D E R G R O W T H
```

58

```
U N T H I N K I N G
  E   U   O   M   U
S I N G L E   P U T T
  T   L   A
C H A F F   C L O D S
  E   U   E   E
C R O S S   U S U R P
      I   M   A
C U R L   E X T A N T
  P   L   N   B   G
S T I M U L A T E D
```

59

```
S U B S T A N T I A L
C   H   H   O   N   U
H A P P I E R   D I M
O   S   M   U   I
L A T E   F A L C O N
A   O   S   L   E   E
R E D U C E   A S K S
S   D   A   T   C
H A L   M E A S U R E
I   E   P   X   S   N
P A R T I C I P A N T
```

60

```
F U L L B L O O D E D
  N   Y   O   B   S
J A U N T S   J U T S
  W   T   E
Y A R D S   S C R E W
  R   E   T   V
F E A S T   A S S E T
      S   C   N
S M E E   O R D A I N
  G   M   P   N
S M A T T E R I N G S
```

61

```
A C C U S E S   A N T
P   L   T   A   B   R
P I E   E M P O R I A
A   R   E   S   A   N
R E G A R D   A C E S
A   Y   S   A   A   A
T O W N   A C I D I C
U   O   E   T   A   T
S A M U R A I   B M I
E   A   I   O   R   O
S I N   C O N T A I N
```

62

```
  E M O T I O N A L
C   E   W   A   F   A
L A P S E   R E F I T
O   N   S   A   T
S E D A T E   A B L E
E   R   Y   A   L   N
D E E R   O B E Y E D
O   S   G   O   A
W A S T E   R E R U N
N   U   A   T   Y   T
  O P P R E S S E S
```

63

```
  R E S P E C T E D
P   N   E   O   A
L E M M A   A I R E D
E   A   R   R   E
A D S L   I S S U E S
S   S   S   E   N   C
U S E F U L   L E E R
R   D   A   Q   I
E D G E D   B L U R B
  N   E   E   A   E
  T U R N S T I L E
```

64

```
S U R M O U N T I N G
  N   U   D   M   E
O D D S   O N S P E C
  E   I   N   E   K
W R E C K   C E L L O
  G   A   N   A
G O A L S   S H A R E
R   B   K   A   G
A L B I O N   N E E D
V   O   O   C   S
E N T O M B M E N T S
```

Solutions

65

```
P R O P O R T I O N ■
■ E ■ H ■ U ■ N ■ T
S A Y I N G ■ S O H O
■ S ■ ■ ■ S ■ U ■ ■
O O M P H ■ P L A T E
■ N ■ H ■ ■ T ■ O ■
A S S A Y ■ U S U A L
■ ■ ■ N ■ S ■ ■ D ■
S T A T ■ L A C T I C
■ I ■ O ■ U ■ A ■ E
■ C O M P R O M I S E
```

66

```
S C I E N T I S T S ■
P ■ N ■ U ■ E ■ A ■
A T T A C K ■ E T C H
G ■ E ■ L ■ R ■ E
H E R S E L F ■ A V A
E ■ V ■ A ■ I ■ N ■ D
T I E ■ R E F U S A L
T ■ N ■ ■ ■ T ■ M ■ I
I T E M ■ R E G I O N
■ ■ I ■ S ■ E ■ T ■ E
M E C H A N I S M S
```

67

```
■ M A G N I T U D E ■
S ■ U ■ E ■ O ■ E ■ S
U R G E S ■ T O P I C
G ■ ■ T ■ S ■ L ■ E
A P O L L O ■ C E R N
R ■ N ■ E ■ T ■ T ■ A
C I T Y ■ C A R E E R
U ■ H ■ I ■ R ■ ■ I
B R E A D ■ T E M P O
E ■ G ■ E ■ A ■ T ■ S
■ B O S S A N O V A
```

68

```
■ B ■ B ■ ■ S C A L E
B A L A N C E ■ I ■ L
■ S ■ R ■ ■ C O M M A
S H O O T ■ T ■ S ■ N
■ E ■ Q ■ D O S ■
O D I U M ■ R O U G H
■ ■ ■ E A T ■ L ■ E
E ■ S ■ R ■ P O E M S
M O T O R ■ ■ M ■ I
I ■ U ■ O N G O I N G
R E N E W ■ ■ N ■ I
```

69

```
P A R T N E R S H I P
S ■ E ■ A ■ E ■ U ■ E
Y A M ■ P S A L T E R
C ■ I ■ S ■ S ■ ■ I
H U N K ■ D O O W O P
I ■ D ■ S ■ N ■ A ■ H
A S S E T S ■ U R G E
T ■ ■ O ■ ■ I ■ R ■ R
R E T I R E S ■ A D A
I ■ O ■ E ■ B ■ N ■ L
C O O R D I N A T E S
```

70

```
D I S C R E P A N C Y
U ■ O ■ ■ W ■ N ■ L
O N L I N E ■ G R I M
M ■ V ■ S ■ R ■ M
O B E Y S ■ C I G A R
■ ■ E ■ O ■ E ■ T
A C T U P ■ G R E E D
■ A ■ N ■ O ■ A ■ U
S U N G ■ R H Y T H M
■ S ■ E ■ B ■ E ■ B
D E C R E S C E N D O
```

71

```
S U B S T A N T I V E
■ T ■ I ■ R ■ R ■ I
W I S D O M ■ A I D S
■ L ■ S ■ V ■
R I V E R ■ J A Z Z Y
■ T ■ Y ■ ■ I ■ A
B Y T E S ■ F L I P S
■ ■ ■ B ■ M ■ ■ P
G A Z A ■ A L B E I T
■ B ■ L ■ N ■ E ■ N
R E F L E X O L O G Y
```

72

```
■ D O L C E V I T A ■
E ■ I ■ U ■ I ■ E
V A L U E ■ R E N D S
A ■ W ■ S ■ T ■ ■ K
L E E K ■ M U M B L E
U ■ L ■ K ■ E ■ U ■ T
A L L I E S ■ C R O C
T ■ ■ T ■ S ■ Y ■ H
E L E C T ■ A L I N E
■ ■ ■ L ■ L ■ R ■ N ■ S
■ O F F E R I N G S ■
```

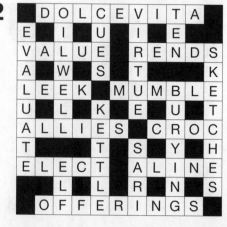

73

```
I N I T I A T I V E ▉
▉ E ▉ O ▉ C ▉ T ▉ M
P R O P E R ▉ A G U E
▉ V ▉ ▉ E ▉ L ▉ ▉ ▉
C O B O L ▉ L I S T S
▉ U ▉ V ▉ ▉ A ▉ H ▉
E S S A Y ▉ I N T E R
▉ ▉ T ▉ L ▉ ▉ ▉ R ▉
W A D I ▉ A E R I A L
I ▉ O ▉ S ▉ O ▉ P ▉
▉ L E N G T H W A Y S
```

74

```
U N D U L Y ▉ S E R F
N ▉ I ▉ A ▉ D ▉ X ▉ I
I N S I D E R ▉ C O N
M ▉ T ▉ Y ▉ O ▉ E ▉ A
P A R T ▉ C O U P O N
O ▉ I ▉ V ▉ P ▉ T ▉ C
R I B B O N ▉ K I W I
T ▉ U ▉ I ▉ G ▉ O ▉ A
A R T ▉ C H A N N E L
N ▉ E ▉ E ▉ L ▉ A ▉ L
T I D Y ▉ V A L L E Y
```

75

```
I M P R I S O N I N G
R ▉ I ▉ A ▉ A ▉ E ▉ ▉
O O Z I N G ▉ T Y P O
N ▉ Z ▉ E ▉ I ▉ T ▉ ▉
S P A C E ▉ B O G U S
▉ U ▉ H ▉ ▉ N ▉ N ▉ ▉
F S T O P ▉ A S T E R
▉ H ▉ R ▉ A ▉ I ▉ I ▉
W I F I ▉ F U L L U P
▉ N ▉ Z ▉ A ▉ L ▉ E ▉
A G E O F R E A S O N
```

76

```
U N D E R L I N I N G
▉ E ▉ L ▉ O ▉ N ▉ A ▉
O G R E ▉ B A L S A M
▉ L ▉ C ▉ S ▉ E ▉ E ▉
S E C T S ▉ A C T O R
▉ C ▉ O ▉ ▉ O ▉ U ▉ ▉
S T A R T ▉ U N I T E
U ▉ W ▉ O ▉ T ▉ W ▉ ▉
S H A R E D ▉ E R O S
H ▉ I ▉ E ▉ N ▉ R ▉ ▉
I N T E G R A T I N G
```

77

```
A S K I N G P R I C E
▉ A ▉ F ▉ U ▉ E ▉ G ▉
O D D S O N ▉ B R I M
▉ N ▉ ▉ S ▉ U ▉ ▉ ▉ ▉
T E M P T ▉ W I N E S
▉ S ▉ E ▉ ▉ L ▉ C ▉ ▉
A S H E S ▉ S T O O D
▉ ▉ L ▉ S ▉ ▉ ▉ N ▉ ▉
G L E E ▉ M E T H O D
▉ E ▉ R ▉ U ▉ O ▉ M ▉
P A S S A G E W A Y S
```

78

```
▉ D I A L E C T A L ▉
S ▉ N ▉ O ▉ A ▉ L ▉ ▉
C A S T S ▉ C O L I C
U ▉ I ▉ E ▉ T ▉ ▉ ▉ O
P U S H ▉ J U M P O N
P ▉ T ▉ U ▉ S ▉ O ▉ D
E N S I G N ▉ A L O E
R ▉ ▉ L ▉ T ▉ A ▉ N
S T Y L I ▉ W O R D S
▉ A ▉ E ▉ I ▉ I ▉ E
▉ A W A R E N E S S ▉
```

79

```
S K Y S C R A P E R S
▉ A ▉ E ▉ I ▉ R ▉ A
W R E C K S ▉ P O S T
▉ A ▉ R ▉ K ▉ D ▉ I
L O D E ▉ S C R E E N
▉ K ▉ T ▉ ▉ E ▉ L ▉
C E N S U S ▉ W E E K
A ▉ I ▉ N ▉ R ▉ G ▉
K E G S ▉ A N O R A K
E ▉ H ▉ K ▉ T ▉ N ▉
S E T T L E M E N T S
```

80

```
C ▉ S ▉ F ▉ N ▉ S ▉ A
O C C U R R E N C E S
M ▉ A ▉ I ▉ U ▉ O ▉ S
M A N A G E R ▉ P R O
O ▉ ▉ A ▉ O ▉ E ▉ R
N O N E T ▉ L I S Z T
S ▉ A ▉ E ▉ O ▉ ▉ M
E L M ▉ B A G G A G E
N ▉ E ▉ I ▉ I ▉ P ▉ N
S E L F R E S P E C T
E ▉ Y ▉ D ▉ T ▉ S ▉ S
```

81

```
F R U S T R A T E D ■
  E   K   H   A   A
A C T I V E ■ C A M P
  R     A   K
R U L E S ■ C L O S E
  I   X     E   H
S T O P S ■ I D L E R
      L   T     L
G Y R O ■ O C T A V E
  O   R   F   O   E
  U S E F U L N E S S
```

82

```
P R O T U B E R A N T
A   A     A   I   A
N E S T E D ■ N O S Y
E   I   E   G   C
L A S T S ■ R I V E T
  V   R     N   N
V O C A L ■ A G A T E
  C   N   P   M   A
M A P S ■ L I Q U O R
  D   I   A   S   L
F O R T U N A T E L Y
```

83

```
S I C K L E ■ T A C K
W   L   S   E   A
I C I E S T ■ E U R O
N   M   I   N   E
E M B A L M ■ I F F Y
  O   L   A   E   U
L U N G ■ T H R I L L
  N   E   I   N   O
S T U B ■ O F F E N D
  E   R   N   R   G
I D E A ■ S E T T E E
```

84

```
L A P I S L A Z U L I
I   U   I   C   A   N
G Y M ■ R I C H E S T
H   P   E   E   ■ E
T W I T ■ A N C H O R
F   N   A   T   A   P
O R G A N S ■ L I A R
O   ■ T   E   R   E
T O U C H E D ■ C A T
E   R   E   E   U   E
D E N O M I N A T O R
```

85

```
E X T E N D S ■ W Y E
N   O   U   I   H   N
C O M E T O G R I E F
H       S   N   S   O
A M P S ■ P A U P E R
N   L   E   L   E   C
T R U S T S ■ B R I E
R   M   H   Z       M
E X P E N D I T U R E
S   E   I   O   N   N
S P R ■ C O N C O C T
```

86

```
■ S A L E S G I R L ■
P   C   A   O   O
R O C K S ■ D E N I M
I   E   T   S       I
N I P S ■ D O Z E N S
T   T   A   N   M   R
O B S E S S ■ E P E E
U   C   C   E   A
T A B L E ■ H I R E D
  A   N   I   O   S
  P R O D U C E R S ■
```

87

```
■ H   C ■ I R A T E
T Y P H O O N ■ M   X
  P   E   S N O O P
T H I C K   U   K O
  E   K   E R A
S N E E R ■ E L E G Y
      D E C   F   A
L N   F ■ F A I R Y
A D I E U   L   D
M   T ■ S H I F T E D
P A S T E     A   N
```

88

```
J U S T I F I A B L E
  N   U   O   R   T
M U O N ■ W R E A T H
  S   N   L   V   O
S U R E R ■ I C O N S
  A   L   A   O
C L A S S ■ F L U I D
L   L   F   L   S
E N L A C E ■ O B I T
A   O   T   U   E
N E W S L E T T E R S
```

89

F O U N T A I N P E N
A · M · · R · E · · P
R A B B I T · U N I X
M · R · · S · R · · S
S H A P E · D O N O R
· O · H · · · N · D ·
A L G A E · A S P E N
· B · L · T · A · O ·
Z E T A · A M I D S T
· I · N · L · R · E ·
I N E X A C T N E S S

90

· R E P U B L I S H ·
S · X · N · I · A · A
U N T I E · P I P E S
B · · A · S · L · · S
S P L A S H · J I V E
C · A · Y · L · N · R
R O T E · W E I G H T
I · E · E · S · · · I
B E R Y L · S E T T O
E · A · M · E · W · N
· C L A S S R O O M ·

91

· S H O U L D E R S ·
F · E · S · E · P · ·
L E A V E · A I M E D
A · V · S · T · · · I
M E E T · T H E M E S
I · N · S · S · O · C
N O S H E S · T R I O
G · · · A · B · N · V
O R D E R · A R I S E
· · · I · C · L · N · R
· M Y T H O L O G Y ·

92

· T · T · · C O V E R
D E L I L A H · E · A
· C · T · · R E A R M
C H E A T · I · L · P
· N · N · D S C · · ·
T O X I C · M A Y O R
· · · C O S · T · P ·
B · M · T · A C U T E
E X I S T · · H · O ·
A · D · O C T O P U S
U N I O N · · N · T ·

93

T E M P E R A T U R E
· M · O · E · S · · I
S P E W · F I N I N G
· O · E · S · N · · H
D W A R F · T I G H T
· E · E · · S · A · ·
C R U D E · G R A S S
R · P · G · A · B ·
A T E A S E · E V E S
M · N · N · L · E ·
P E D E S T R I A N S

94

M O C K U P · F E A T
A · A · · E · O · N
M A R O O N · G E T S
B · E · · E · L · E
O L D E S T · A C N E
· I · M · R · M · N
S N O B · A P P E A R
· K · A · T · V · A
S I N S · I N S I S T
· N · S · V · C · E
E G G Y · E X I T E D

95

S W E A R A N O A T H
P · M · O · I · W · I
E K E · B A C K L O G
C · R · S · E · · H
T E A M · G L O B A L
R · L · B · Y · L · I
O O D L E S · D O N G
G · · A · C · W · H
R I S O T T O · O A T
A · O · U · A · U · E
M A N I P U L A T E D

96

D I N N E R P A R T Y
· N · D · E · N · U
A F R A I D · A P E X
· E · · · S · L
S C O P E · D O O M S
· T · R · · G · A
I S L E T · H Y D R A
· · · S · C · · · X
B A L E · H O T A I R
· L · N · E · L · S
C E R T I F I C A T E

97

```
  P H E N O M E N A
I A   O   U   I
M I N U S   T A X E S
P   D   E   U       O
L I L T   M A S S I F
I   E   U   L   T   T
C O R O N A   B R O W
I       Y   O   E   A
T A B O O   V O T E R
    I   K   A   C   E
  U N H E A L T H Y
```

98

```
  W   K     B R E E D
G A L I L E E   D   A
  R   N     A N G E R
O M E G A   V   Y   K
    U   D   R E P
S P O O F   R E A D Y
      M O O   N   E
C   T   R   I D L E S
H O R D E     I   P
U   U   S I G N A L S
G R E A T     G   Y
```

99

```
C I C A D A   R U B S
O   U   U   A   N   T
N O T I C E D   D O E
T   T   T   M   E   W
R A I D   S I E R R A
I   N   B   T   T   R
B I G T O P   Y A R D
U   E   M   P   K   S
T E D   B R U T I S H
O   G   E   P   N   I
R E E L   H A N G U P
```

100

```
A B S O R P T I O N
    A   W   U   N   O
O R I E N T   S A W S
    K   S   H
R I O T S   G O O D Y
    N   R   R   E
O G R E S   S T Y L E
      M   M       A
S H O O   A S S A Y S
    I   L   S   E   E
  C R O S S R O A D S
```

101

```
E X P L O R A T I O N
A   A   A   H   C
S E N I O R   R E A L
E   D   E   O   R
D R A F T   P U P I L
  E   A   G   N
S L Y L Y   W H E A T
  E   L   R   L   R
T A R O   O C C U P Y
  R   F   T   D   S
I N E F F I C I E N T
```

102

```
A   F   P   E   O   M
G O L D R E S E R V E
G   A   O   T   I   T
L O B E L I A   G B A
O   E   B   I   P
M O U N T   L U N C H
E   N   A   I   Y
R S I   R E S I G N S
A   T   I   H   O   I
T H E R A P E U T I C
E   D   T   S   H   S
```

103

```
U S E L E S S N E S S
  T   O   I   I   T
B A D T E M P E R E D
  I   T   C   A
U N D O U B T E D L Y
    V   F   A   U
F O R L O R N H O P E
  C   O   E   U
A C C O M M O D A T E
  U   S   E   G   T
F R E E A N D E A S Y
```

104

```
R E I N S T A T I N G
  X   E   O   R   A
K I N D L Y   A C H Y
  S   S   S   C
S T I C K   W I R E D
  E   A   N   M
A D O R E   A G R E E
    T   Y       R
A L T O   E N R A G E
  E   O   A   A   E
S T U N G R E N A D E
```

105

```
A B U S E D   G I L L
D   N V   A M   A
M A S T E R S   P C B
I   E   R H   R O
N O P E   D E T O U R
I   A   A N   V I
S P R A W L   D E M O
T   A   F Y M   U
E N T   U S E L E S S
R   E   L T N   L
S I D E   F I L T H Y
```

106

```
S P E C I A L I S T S
  I H   T   L   A
A R M A D A   F A L L
  A   T   L   C   A
O N C E   L I N K E D
  H   A       I L
V A C U U M   C H I N
A   O   A K   S
L A Y S   T R I V I A
I   P   T   N O
D O U B L E A G E N T
```

107

```
  C E L E B R A T E
A   X   D   E   E
A L P H A   F L A G S
R   I   M   L     E
D I R E   W E B C A M
V   E   S   X   R I
A D D I C T   V A I N
R     O   G S   A
K E M P T   O T H E R
    A   C   O   E S
  D I S H O N E S T
```

108

```
  B O L L Y W O O D
N   P   E   O U   C
A R S O N   W A T C H
R   G   S   L   A
R O T A T E   M I L L
A   E   H S   N   L
T U N A   S C H E M E
I   S   M   Y     N
V O I L A   T W A N G
E   O   T   H L   E
  I N T E R E S T S
```

109

```
A Q U A T I C   C S I
S   N O   O   A   G
S W A L L O W   P A N
I   V   D   B   A O
G R O G   C O N C U R
N   I   T   Y   I A
M I D D A Y   S T E M
E   A   K   A   A U
N I B   E N G I N E S
T   L   T   E C   E
S H E   O D D N E S S
```

110

```
C O M E T O L I F E
  V   W   U   N   L
M E T E R S   F A K E
  R     T   L
S M A C K   V I D E O
  A   A   C   P
U N I T S   S T O I C
    C   V   T
S A S H   E S C R O W
  I   U   T   P M
  R E P R O D U C E S
```

111

```
Q U I E T L Y   C O D
U   N   E   U   O
E D D   S P A R R O W
S   I   T   R   T N
T O C K   E N C A M P
I   A   E S   I   A
O P T I N G   E N V Y
N   I   T F   C M
I S O L A T E   A Y E
N   N   I T   L N
G U S   L E A F L E T
```

112

```
  A V   S P U R T
A D V E R S E   S   E
  M R   C H E E R
R I N S E   U D   N
  R   I   B R B
D E M O N   E A G E R
      N O S   R   N
B   I   T   F R E S H
R I C C I     I U
A   O   F I R E A R M
D A N D Y     R   E
```

Solutions

113

```
N E C K A N D N E C K
  G   I   O   E   O
V O I D E D     G O B Y
  T       S     A
W I C C A     S T E E P
  S   O       E   L
S T O N E     E D G E S
      M   S       M
E R G O     P O W D E R
  A   T   I   O   N
O P P O R T U N I T Y
```

114

```
I M P E T U O U S L Y
S   A   L   N     I
L I S T E N   L E N T
E   T   A   U   K
S T A M P   S C R A P
  E   O   K   G
I R O N Y   T Y P E D
  M   S   S   H   R
M I T T   P A G O D A
  N   E   U   T   N
L I B R A R Y B O O K
```

115

```
I N N O V A T I V E
  O   M   W   N   Y
E M I G R E   V I E S
  I   D   A
A N G S T   A D I O S
  A   T   E   P
P L A I N   A D D E R
      C   L   N
Y A N K   U N C L A D
  S   T   S   F   I
A P O T H E C A R Y
```

116

```
I N G R E D I E N T S
N   A   N   C   I   U
C A B B A G E   R O I
O       B   S   V   T
L O C A L S   M A M A
D   L   E   L   N   B
B R A T   S A F A R I
L   S   D   D       L
O K S   O R I G A M I
O   E   V   D   C   T
D E S P E R A T E L Y
```

117

```
  T   C     R E A L M
A R C H I V E   I   U
  A   I   F I R S T
T U R N S   U   Y   T
  M   E   B T W
F A R S I   E R R O R
      E N D   A   C
A   H   D   O P I U M
S N A F U   P   L
A   H   C A M E R A S
P E A C E     R   R
```

118

```
  L A N G U A G E S
S   K   A   F   X   E
H E A R T   R A T E S
A   A   H   O   R   C
K I D D E D   B E T A
E   I   R   J   M   L
D U P E   E U R E K A
O   L   K   N       T
W R O T E   G U S T O
N   M   P   L   I   R
  B A T T L E C R Y
```

119

```
C O N F L I C T I N G
  V   A   N   M   U
D E L I   C O U P L E
  R   L   A   L   S
L A Y U P   A B Y S S
  L   R   E   C
O L D E N   K N E A D
M   O   K   G   N
E V O L V E   A D D S
N   R   E   L   A
S U S C E P T I B L E
```

120

```
A F T E R N O O N S
  O   O   E   C   I
E X I S T S   T O S H
  T   T   T   O
C R A S H   A B L E R
  O   A   E   X
S T O U T   C R O A T
  S   H   M
A R I A   E S C A P E
  A   G   C   P   L
  W E E D K I L L E R
```

121

```
■ O F F S P R I N G ■
I · I · O · E · B · ·
G A R B S ■ S C A N T
N · S · O · C · · A ·
O U T S ■ Q U E B E C
R · L · F · E · R · T
A N Y H O W ■ T E L L
N · · · U · W · A · E
T H E I R ■ A N K H S
· R · · T · R · U · S
■ A R C H E T Y P E ■
```

122

```
C O N S T I T U T E S
· R · P · O · N · G ·
O B T A I N ■ L O O P ·
· I · · S · E · · · ·
S T I L L ■ P A L M S ·
· A · A · · S · A · ·
P L A Y S ■ S H O N E ·
· · · I · A · · D · ·
K I L N ■ T H R O A T ·
· N · T · T · O · T ·
E N C O U N T E R E D
```

123

```
E U R A S I A ■ F O P
M · E · I · P · U · R
B O A ■ R I P I N T O
O · L · S · E · D · P
L O I N ■ U N F A I R
D · Z · R · D · M · I
E N A M E L ■ M E T E
N · T · W · T · N · T
I M I T A T E ■ T I A
N · O · R · E · A · R
G E N ■ D I S P L A Y
```

124

```
W O N D E R I N G L Y
· P · A · O · A · A ·
H A I R ■ A T O M I C
· Q · L · M · U · H ·
A U D I O ■ O C T E T
· E · N · · H · C · ·
F R O G S ■ L I T H E
E · G · G · A · E · ·
D E L E T E ■ N I L E
U · E · M · T · O · ·
P O S S E S S I O N S
```

125

```
G I R L F R I E N D ■
· D · A · P · U · · ·
D E A D L Y ■ I C E D
· A · · S · T · · · ·
G L A S S ■ P A C E D
· L · C · P · N · · ·
M Y T H S ■ T H E T A
· · E · S · · R · · ·
C H A R ■ M A R G I N
· A · Z · U · O · E ·
G N O S T I C I S M ■
```

126

```
■ L E C T U R E R S ■
S · M · I · E · E · ·
W I P E D ■ P I V O T
A · T · E · A · · · O
M A I M ■ D I F F E R
P · E · G · R · R · T
I N D E E D ■ C I A O
N · · Y · B · E · · I
G I V E S ■ L I N E S
· I · E · E · D · E ·
N A R R O W E S T ■
```

127

```
■ M E C H A N I C S ■
P · B · E · A · R · I
A M B E R ■ G L E A M
R · E · S · A · · P ·
A C C E S S ■ S T A R
G · R · Y · A · E · E
R O U T ■ T R A D E S
A · I · H · I · · S ·
P E S K Y ■ S T O R E
H · E · M · E · H · S
■ B R A N D N A M E ■
```

128

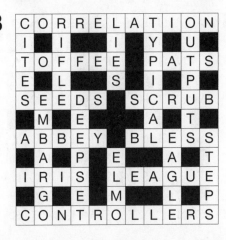

```
C O R R E L A T I O N
I · I · I · Y · U · ·
T O F F E E ■ P A T S
E · L · S · I · P · ·
S E E D S ■ S C R U B
· M · E · · A · T · ·
A B B E Y ■ B L E S S
· A · P · E · A · T ·
I R I S ■ L E A G U E
· G · E · M · L · P ·
C O N T R O L L E R S
```

Solutions

129

```
P L A C E O F A R M S
. U . H . H . . E . O
K N E E . M I L I E U
. A . C . S . K . . L
S T A K E . A C I D S
. I . I . . . A . R .
S C A N S . O R G A N
U . N . A . A . S . .
I R K I N G . V E T S
T . L . A . A . I . .
E L E C T R O N I C S
```

130

```
U N S P E C I F I E D
. A . C . E . A . M .
A S S I G N . U P O N
. T . . . T . X . . .
S I N K S . S P O O L
. E . E . . . A . V .
C R U S T . A S K E D
. . . T . F . . R . .
F A I R . E M B E D S
. T . E . A . I . U .
W E L L G R O O M E D
```

131

```
. F I S H K N I F E .
I . N . I . A . A . .
S T A I R . T O R C H
O . P . E . I . . . O
L U T E . B O R E A L
A . L . H . N . N . I
T R Y O U T . S C U D
E . . M . Y . O . A .
S A M B A . O D D L Y
. . R . N . G . E . S
. A S R E G A R D S .
```

132

```
. P R E S C R I B E .
A . A . A . O . E . A
M E D A L . P I N T S
P . . A . Y . D . . S
L E P E R S . M I R E
I . U . Y . V . N . R
T E R M . F I D G E T
U . P . L . E . . . I
D R O V E . W O M E N
E . S . A . E . A . G
. P E R F O R M E D .
```

133

```
. U . S . . C A R E S
I N D E P T H . E . A
. R . E . . E M E R Y
T E A M S . A . K . S
. E . I . U T E . . .
S L A N G . S Q U A D
. . . G O A . U . C .
F . M . V . P A S T Y
R O U T E . . L . U .
E . L . R A I L W A Y
T A L O N . . Y . L .
```

134

```
P . O . G . H . V . I
I M P L I C A T I O N
E . E . V . N . E . G
C O N T E N D . W A R
E . . A . I . E . A .
O F T E N . C A D E T
F . O . D . A . . . I
C A N . T Y P E S E T
A . G . A . P . U . U
K N U C K L E H E A D
E . E . E . D . S . E
```

135

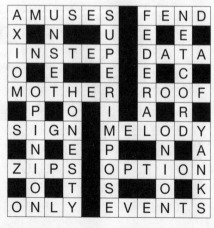

```
A M U S E S . F E N D
X . N . U . E . E . .
I N S T E P . D A T A
O . E . E . E . C . .
M O T H E R . R O O F
. P . O . I . A . R .
S I G N . M E L O D Y
. N . E . P . N . A .
Z I P S . O P T I O N
. O . T . S . O . K .
O N L Y . E V E N T S
```

136

```
. U N W E L C O M E .
S . U . A . U . M . .
C O M I C . D E E M S
A . B . H . D . . . T
R U E D . A L U M N A
C . R . C . Y . E . M
E A S T E R . P E E P
L . . L . R . T . I .
Y O D E L . A N I O N
. . I . A . D . N . G
. R E A R R A N G E .
```

137

```
A C C O R D I N G L Y
M   R   A     I   A
O P E R A S     M I S S
N   D   H   B   T
G O O F Y   C L A I M
    N   A       E   N
S A U N A   D R U G S
  H   M   I   T   P
L I M A   B L O T T O
  G   I   I   E   I
C H O L E S T E R O L
```

138

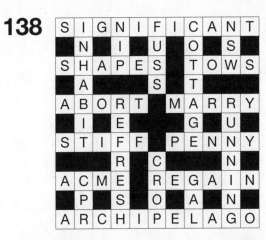

```
S I G N I F I C A N T
  N   I   U   O   S
S H A P E S   T O W S
  A       S   T
A B O R T   M A R R Y
  I   E       G   U
S T I F F   P E N N Y
        R   C   N
A C M E   R E G A I N
  P   S   O   A   N
A R C H I P E L A G O
```

139

```
E N L I G H T E N S
  E   D   A   G   I
B U R S A R   G Y P S
  T       P   H
F R E A K   B E Z E L
  A   N       A   R
F L U T E   I D I O M
      L   W       S
F L E E   R E C O I L
  A   R   A   N   O
P O S T P O N I N G
```

140

```
  G O L D E N A G E
B   N   E   A   A   A
I N E P T   T A L E S
O   A   O   L   C
L I Q U I D   W E R E
O   U   L   C   R   N
G L A D   P R A Y E D
I   N   T   A       I
S A T Y R   W A G O N
T   U   E   L   E   G
  I M M E N S E L Y
```

141

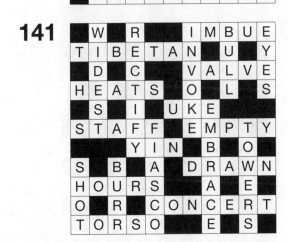

```
  W   R       I M B U E
T I B E T A N   U   Y
  D   C   V A L V E
H E A T S   O   L   S
  S   I   U K E
S T A F F   E M P T Y
    Y I N   B   O
S   B   A   D R A W N
H O U R S   A   E
O   R   C O N C E R T
T O R S O   E   S
```

142

```
S O L V E D   T I C K
H   I   I   E   A
R O B B E R   M A R S
U   E   E   P   I
B A L T I C   E B B S
  R   E   T   S   O
M A N E   O U T P U T
  B   T   R   A   R
V I C E   I N S I D E
  A   R   E   R   S
O N U S   S P A S M S
```

143

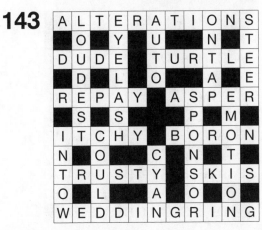

```
A L T E R A T I O N S
  O   Y   U   N   T
D U D E   T U R T L E
  D   L   O   A   E
R E P A Y   A S P E R
  S   S   P   M
I T C H Y   B O R O N
N   O   C   N   T
T R U S T Y   S K I S
O   L   A   O   O
W E D D I N G R I N G
```

144

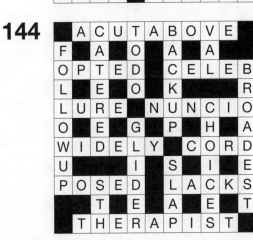

```
  A C U T A B O V E
F   A   O   A   A
O P T E D   C E L E B
L   E   O   K   R
L U R E   N U N C I O
O   E   G   P   H   A
W I D E L Y   C O R D
U   I   S   I   E
P O S E D   L A C K S
  T   E   A   E   T
  T H E R A P I S T
```

Solutions

145

C	Y	C	L	I	S	T	■	D	Y	E
O	■	O	■	N	■	I	■	I	■	L
M	A	N	■	F	U	C	H	S	I	A
M	■	S	■	I	■	S	■	C	■	S
A	C	C	O	R	D	■	P	O	U	T
N	■	I	■	M	■	G	■	U	■	I
D	R	O	P	■	C	I	T	R	I	C
M	■	U	■	A	■	V	■	A	■	A
E	S	S	E	N	C	E	■	G	O	T
N	■	L	■	T	■	U	■	E	■	E
T	R	Y	■	I	M	P	O	S	E	D

146

■	I	N	C	I	D	E	N	C	E	■
E	■	A	■	S	■	O	■	O	■	D
T	U	B	E	S	■	N	O	R	S	E
Y	■	■	U	■	S	■	N	■	■	F
M	A	P	P	E	D	■	H	E	R	E
O	■	R	■	D	■	I	■	R	■	N
L	I	E	D	■	A	M	U	S	E	D
O	■	V	■	K	■	A	■	■	■	A
G	R	A	P	E	■	G	R	O	W	N
Y	■	I	■	E	■	E	■	N	■	T
■	B	L	I	N	D	S	P	O	T	■

147

P	R	O	B	A	B	I	L	I	T	Y
U	■	W	■	A	■	O	■	R	■	■
M	A	I	N	L	Y	■	I	B	E	X
P	■	N	■	S	■	T	■	A	■	■
S	O	G	G	Y	■	F	E	T	C	H
■	V	■	E	■	■	R	■	L	■	■
W	E	E	N	Y	■	A	S	K	E	W
■	R	■	E	■	G	■	N	■	I	■
P	L	O	T	■	A	T	T	E	N	D
■	A	■	I	■	G	■	L	■	E	■
S	P	E	C	T	A	C	U	L	A	R

148

F	I	R	I	N	G	S	Q	U	A	D
■	N	■	L	■	O	■	U	■	W	■
E	V	O	K	E	D	■	A	L	E	S
■	I	■	■	■	S	■	R	■	■	■
S	T	A	C	K	■	O	T	T	E	R
■	E	■	O	■	■	E	■	X	■	■
A	D	D	U	P	■	G	R	I	P	S
■	■	■	L	■	T	■	■	■	O	■
B	R	I	O	■	I	M	P	O	S	E
■	I	■	M	■	N	■	A	■	E	■
D	O	U	B	L	E	C	R	O	S	S

149

E	D	U	C	A	T	I	O	N	A	L
Q	■	T	■	T	■	R	■	E	■	I
U	N	C	L	O	A	K	■	S	A	M
I	■	■	■	N	■	S	■	T	■	I
L	Y	R	I	C	S	■	D	I	E	T
I	■	E	■	E	■	P	■	N	■	A
B	I	F	F	■	F	R	I	G	H	T
R	■	U	■	Z	■	O	■	■	■	I
I	R	S	■	I	N	F	E	R	N	O
U	■	E	■	N	■	I	■	H	■	N
M	E	D	I	C	A	T	I	O	N	S

150

L	E	G	I	S	L	A	T	I	O	N
■	T	■	N	■	A	■	■	N	■	O
G	E	R	M	■	S	T	U	D	I	O
■	R	■	A	■	H	■	■	I	■	N
U	N	I	T	Y	■	A	G	A	P	E
■	A	■	E	■	■	R	■	E	■	■
B	L	A	S	T	■	F	A	U	L	T
L	■	P	■	■	L	■	P	■	I	■
E	M	P	I	R	E	■	H	A	C	K
E	■	L	■	A	■	I	■	A	■	■
P	R	E	J	U	D	I	C	I	N	G

151

P	E	R	S	E	C	U	T	E	D	■
■	X	■	G	■	O	■	O	■	U	■
T	A	S	T	E	D	■	R	I	B	S
■	■	C	■	■	A	■	T	■	■	■
S	T	A	S	H	■	D	U	T	C	H
■	L	■	W	■	■	R	■	O	■	■
B	Y	F	A	R	■	T	E	R	M	S
■	■	■	G	■	B	■	■	■	M	■
S	O	N	G	■	U	N	R	E	A	D
■	F	■	E	■	R	■	O	■	N	■
■	F	A	R	A	N	D	W	I	D	E

152

■	E	A	G	L	E	E	Y	E	D	■
P	■	S	■	I	■	X	■	T	■	■
A	C	H	E	D	■	P	E	A	C	H
S	■	A	■	S	■	E	■	■	■	A
S	E	M	I	■	D	R	Y	R	U	N
A	■	E	■	M	■	T	■	E	■	U
G	A	D	G	E	T	■	F	L	A	K
E	■	■	■	T	■	O	■	E	■	K
S	A	F	E	R	■	D	I	A	N	A
■	■	B	■	I	■	E	■	S	■	H
■	D	I	S	C	U	S	S	E	D	■

153

```
. B R I N G D O W N .
C D O . U E . A
L E A S T . S W A P S
E . . I . T . P . S
V I S I O N . W O V E
E . O N . P N . N
R E P S . S U B S E T
E . R B . T . I
S T A T E . R O M A N
T . N E . I S . G
. C O N F I D E N T .
```

154

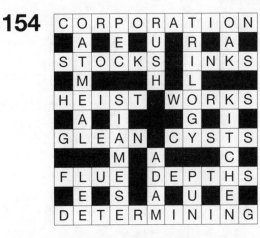

```
C O R P O R A T I O N
. A E . U . R . A
S T O C K S . I N K S
. M . H L .
H E I S T . W O R K S
. A I . G . I
G L E A N . C Y S T S
. M A . C
F L U E . D E P T H S
. E S . A U E
D E T E R M I N I N G
```

155

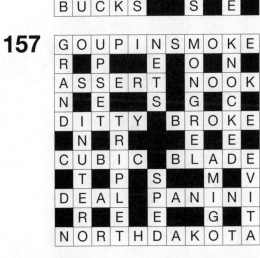

```
. B . M . . W E A R Y
J A M A I C A . L . O
. R . D . N A M E D
T B O N E . D . S . A
. E . E . F E B
B R A S S . R A V E S
. . . S T Y . N . N .
S . T . A . F A R C E
C L O W N . . N . O .
A . R . D E M A N D S
B U C K S . . S . E .
```

156

```
I M A G I N A T I O N
. I E . E . V . A
W R E N . A C R O S S
. A . U . T . R . A
S C R I P . I D Y L L
. L . N . R . I
L E V E L . M A Y B E
U . I . C . C . E
N E E D L E . H E R D
G . W . L . M . A
E S S E N T I A L L Y
```

157

```
G O U P I N S M O K E
R . P . E . O . N .
A S S E R T . N O O K
N . E . S . G . C
D I T T Y . B R O K E
. N . R . . E . E .
C U B I C . B L A D E
. T . P . S . M . V
D E A L . P A N I N I
. R . E . E . G . T
N O R T H D A K O T A
```

158

```
G U T T E R . P O S Y
N . R . E . A . I .
A R A B I C . I D L Y
S . I . O . N . I
H E L I U M . T A C T
. A . N . M . E . O
T R O T . E N D I N G
. L . E . N . N . U
L I E N . D R O G U E
. E . D . E . O . S
E R R S . D I K T A T
```

159

```
. L A N D S C A P E .
C . P . E . A . R . E
O C E A N . K R O N A
N . . I . E . G . S
S A D D E N . B R A Y
T . I . D . M . A . C
R E S T . W A R M T H
U . E . N . M . A
C R A Z E . M A O R I
T . S . R . O . D . R
. R E A D I N E S S .
```

160

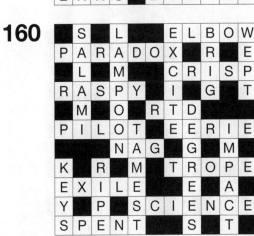

```
. S . L . E L B O W
P A R A D O X . R . E
. L . M . C R I S P
R A S P Y . I . G . T
. M . O . R T D .
P I L O T . E E R I E
. . N A G . G . M
K . R . M . T R O P E
E X I L E . . E . A
Y . P . S C I E N C E
S P E N T . . S . T
```

Solutions

161

■	B	A	C	K	S	P	A	C	E	■
U	■	L	■	I	■	U	■	A	■	■
P	U	L	L	S	■	Z	E	B	R	A
G	■	T	■	S	■	Z	■	■	■	N
R	O	O	D	■	B	L	A	D	E	S
A	■	L	■	H	■	E	■	I	■	W
D	O	D	G	E	R	■	G	E	N	E
E	■	■	■	A	■	E	■	D	■	R
S	O	B	E	R	■	W	H	O	L	E
■	■	A	■	T	■	E	■	W	■	D
■	G	A	T	H	E	R	I	N	G	■

162

B	Y	P	R	O	D	U	C	T	S	■
■	E	■	S	■	E	■	A	■	O	■
R	A	V	A	G	E	■	S	A	S	S
■	R	■	■	■	M	■	H	■	■	■
S	N	A	C	K	■	A	C	N	E	D
■	E	■	L	■	■	■	O	■	V	■
A	D	D	E	D	■	O	W	N	E	D
■	■	■	A	■	F	■	■	■	R	■
A	K	I	N	■	L	E	A	D	E	R
■	O	■	U	■	O	■	G	■	S	■
■	I	M	P	L	E	M	E	N	T	S

163

S	■	A	■	P	■	D	■	V	■	H
P	O	R	T	A	B	I	L	I	T	Y
E	■	E	■	R	■	S	■	O	■	P
N	E	A	R	E	S	T	■	L	E	O
D	■	■	■	N	■	R	■	E	■	C
T	R	O	U	T	■	E	A	T	E	R
H	■	A	■	H	■	S	■	■	■	I
R	T	F	■	E	N	S	U	R	E	S
I	■	I	■	S	■	I	■	U	■	I
F	A	S	H	I	O	N	A	B	L	E
T	■	H	■	S	■	G	■	Y	■	S

164

R	E	F	E	R	E	N	C	I	N	G
■	L	■	N	■	M	■	■	M	■	U
L	I	R	A	■	M	A	S	A	L	A
■	T	■	B	■	Y	■	■	G	■	R
G	I	R	L	S	■	S	T	E	E	D
■	S	■	E	■	■	■	H	■	N	■
S	T	U	D	S	■	P	U	N	C	H
T	■	M	■	■	L	■	N	■	L	■
I	M	B	I	B	E	■	D	O	O	M
N	■	E	■	■	S	■	E	■	S	■
T	E	R	R	I	T	O	R	I	E	S

165

U	N	L	E	S	S	■	E	G	G	S
N	■	A	■	■	U	■	N	■	R	■
C	R	Y	I	N	G	■	J	E	A	N
U	■	E	■	■	G	■	O	■	D	■
T	H	R	O	N	E	■	Y	O	U	R
■	E	■	B	■	S	■	E	■	A	■
P	A	L	L	■	T	O	D	D	L	E
■	V	■	I	■	I	■	■	R	■	L
R	I	N	G	■	O	X	F	O	R	D
■	E	■	E	■	N	■	■	W	■	E
O	R	C	S	■	S	O	O	N	E	R

166

■	P	O	M	P	O	S	I	T	Y	■
F	■	E	■	A	■	U	■	E	■	A
U	N	D	I	D	■	M	E	E	T	S
L	■	■	■	D	■	P	■	N	■	S
L	A	B	E	L	S	■	M	A	Y	O
G	■	R	■	E	■	B	■	G	■	R
R	E	A	D	■	D	I	G	E	S	T
O	■	V	■	H	■	A	■	■	■	I
W	H	A	L	E	■	S	P	U	R	N
N	■	D	■	R	■	E	■	S	■	G
■	F	O	R	B	I	D	D	E	N	■

167

S	Y	N	O	N	Y	M	O	U	S	■
■	U	■	D	■	O	■	C	■	A	■
G	L	A	D	L	Y	■	T	E	X	T
■	E	■	■	■	O	■	A	■	■	■
S	L	I	C	E	■	A	G	I	L	E
■	O	■	O	■	■	■	O	■	E	■
A	G	O	N	Y	■	S	N	E	A	K
■	■	■	B	■	L	■	■	■	R	■
C	Z	A	R	■	I	N	F	A	N	T
■	I	■	I	■	L	■	A	■	E	■
■	G	O	O	D	Y	G	O	O	D	Y

168

F	I	G	U	R	E	O	F	F	U	N
R	■	R	■	■	X	■	R	■	G	■
U	T	O	P	I	A	■	E	E	L	S
M	■	A	■	■	M	■	T	■	I	■
P	A	N	I	C	■	A	F	T	E	R
■	M	■	M	■	■	■	U	■	S	■
P	E	D	A	L	■	B	L	I	T	Z
■	R	■	G	■	K	■	■	O	■	O
W	I	K	I	■	N	E	A	T	E	N
■	C	■	N	■	O	■	■	A	■	E
P	A	R	E	N	T	H	E	S	E	S

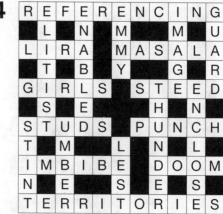

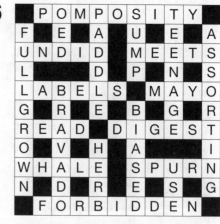

169

```
  P S _ _ C H I E F
P O R T I C O _ L _ I
  L U _ M I L E S _ S
G I A N T _ P _ S _ H
  S N _ B L S _ _ _ _
W H E E L _ Y U M M Y
  _ _ D O T _ R _ A _
A _ K W _ E V E N T _
C R A V E _ _ E _ G _
T _ N _ R E C Y C L E
S T A Y S _ _ S _ E _
```

170

```
_ M O O R E S L A W _
O _ P _ I _ C _ R _ _
R E P E L _ A M E N D
G _ R _ E _ L _ _ _ I
A X E D _ P A U S E S
N _ S G _ R _ C _ P _
I N S U L T _ G O A L
Z _ _ O _ K _ R _ A _
E N T E R _ A P P L Y
_ _ E _ I _ V _ I _ S
_ S E P A R A T O R _
```

171

```
_ A L O N G S I D E _
B _ U _ O _ U _ E _ F
R I G H T _ D I N E R
E _ _ I _ S _ S _ E _
A B S E N T _ C I T E
K _ T _ G _ U _ T _ Z
F I A T _ E N Z Y M E
A _ T _ P _ U _ _ _ D
S N I D E _ S O L A R
T _ O _ E _ E _ U _ Y
_ I N T R O D U C E _
```

172

```
C O N F I G U R E S _
_ N _ I _ U _ E _ A _
R E G R E T _ A I D E
_ S _ _ _ S _ C _ _ _
B E E F Y _ C H E C K
_ L _ O _ _ E _ A _ _
A F I R E _ P S E U D
_ _ _ B _ H _ _ T _ _
P A P A _ A U P A I R
_ S _ D _ Z _ O _ O _
_ P R E T E N D I N G
```

173

```
H O U S E A R R E S T
O _ N _ N _ E _ C _ _
S E C R E T _ C A R T
T _ L _ S _ L _ E _ _
S W E A R _ N A K E D
_ O _ R _ _ I _ N _ _
E R A S E _ S M A S H
_ K _ E _ L _ D _ A _
S E A N _ O R D E A L
_ R _ I _ C _ P _ L _
P S Y C H O P A T H S
```

174

```
_ S _ F _ _ T R U N K
N O U R I S H _ R _ N
_ M _ E _ _ R A N G E
G A T E S _ U _ S _ W
_ L _ Z _ A S H _ _ _
V I P E R _ T E A C H
_ _ _ S E T _ L _ E _
T _ W _ P _ S P I N E
O N I C E _ _ I _ S _
U _ R _ A B A N D O N
R O Y A L _ _ G _ R _
```

175

```
F O R G I V E N E S S
_ U _ O _ I _ E _ U _
S T A B L E _ T A M P
_ C _ _ D _ W _ _ _ _
D R Y A D _ M O R A L
_ O _ W _ _ R _ L _ _
S P R A Y _ S K A T E
_ _ _ I _ L _ _ E _ _
B L O T _ I N J U R E
_ I _ E _ O _ U _ E _
L E A D I N G L A D Y
```

176

```
_ A L L O W A N C E _
I _ A _ X _ U _ O _ I
N E W L Y _ R O O T S
N _ _ _ G _ A _ L _ O
E A S I E R _ G I R L
R _ E _ N _ R _ N _ A
T U C K _ B O U G H T
U _ U _ P _ L _ _ _ I
B A L S A _ A L I E N
E _ A _ W _ N _ N _ G
_ G R A N D D U K E _
```

Solutions

177

```
. C O N F R O N T S .
V . P U . C . H . .
A L T E R . C H E A P
L . I . L . U . . R
H O O D . B R O W S E
A . N . P . S . O . S
L A S E R S . O R E S
L . . I . N . S . U
A D D O N . E T H E R
. . A . C . A . I . E
. I N T E R R U P T .
```

178

```
A C E O F S P A D E S
. O . R . A . I . . P
C L A D . N A U S E A
. L . I . K . C . . D
W A R N S . P R O V E
. . G . A . . O . A
D E A L S . S T O R M
R . F . L . A . Y
I N F A M Y . T R I M
F . I . R . E . N
T E X T M E S S A G E
```

179

```
. N . D . . B L E N D
M O R O C C O . M . U
. V . L . W H I S K .
W I S P Y . O . T . E
. C . H . B U S . .
S E R I F . T E P I D
. . N O T . T . N .
A . R . S . S T I R S
P L E A S . . L . U
E . D . I N V E R S E
D R O O L . . D . H
```

180

```
O C C A S I O N I N G
P . O . N . O . U .
T A C T I C . S U C K
I . O . H . T . L .
C R A F T . D R I E D
. E . R . . I . U .
O G L E D . C L A S H
. U . E . O . P . A
F L E D . N E U R A L
. A . O . T . O . T
T R A M P O L I N E S
```

181

```
. D R E S S D O W N .
P . I . M . O . A . E
R O D E O . R I S E S
I . . K . Y . S . P
M I S S E S . L A C E
E . U . D . P . I . R
T O S S . P A E L L A
I . A . V . S . . N
M A N G O . S H O R T
E . N . I . E . U . O
. C A N D I D A T E .
```

182

```
I N D U S T R I E S .
. A . S . I . N . E
S T E P I N . I M P S
. U . . S . T . . .
F R O C K . D I A R Y
. A . O . . A . E .
A L O U D . P L U G S
. . N . C . . R .
B L O C . L A D I E S
. O . I . U . U . T
W I L D E R N E S S
```

183

```
R E V I S E . R I F E
O . I . X . E . O .
S T R I C T . N O R M
T . G . E . A . E .
I S O M E R . M A I D
. U . A . M . E . G
S P I N . I O D I N E
. P . N . N . L . R
Y O G I . A T T I R E
. R . N . T . U . C
S T A G . E X E M P T
```

184

```
. H E R B I C I D E .
A . N . A . E . I .
B A C K S . R A N K S
S . H . K . E . . U
T O A D . H A P P E N
R . N . P . L . R . B
A L T E R S . D I V A
C . . . E . S . N . T
T H I E F . P A T C H
. . S . E . A . E .
. O P E R A T O R S .
```

185

A	S	S	A	S	S	I	N	A	T	E
V		L		O		U		R		
E	D	I	T	O	R		M	A	U	L
R		D		T		E		M		
S	P	E	A	K		C	R	O	P	S
	R		M			A		E		
V	O	T	E	D		P	L	O	T	S
	V		N		G		D		T	
K	I	N	D		R	E	N	D	E	R
	S		E		I		E		I	
G	O	L	D	E	N	S	Y	R	U	P

186

	V	A	N	D	A	L	I	S	M	
E		C		R		I		U		S
C	U	T	I	E		M	E	S	S	Y
O				A		P		P		N
N	O	B	O	D	Y		N	E	W	T
O		U		S		A		N		H
M	A	R	K		B	R	I	D	G	E
I		R		H		T				S
C	H	I	N	A		F	U	N	G	I
S		T		R		U		E		S
	N	O	R	M	A	L	I	T	Y	

187

M	A	T	H	E	M	A	T	I	C	S
	C		A		E		N		H	
S	H	U	N		M	I	D	D	L	E
	I		D		O		I		E	
R	E	P	L	Y		A	G	E	N	T
	V		E		R		U			
D	E	N	S	E		W	A	R	M	S
E		E		D		N		E		
T	A	S	T	E	R		D	A	R	E
E		T		U		P		I		
R	E	S	E	M	B	L	A	N	C	E

188

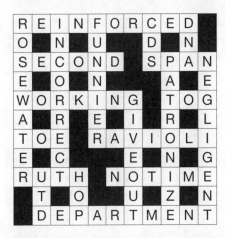

R	E	I	N	F	O	R	C	E	D	
O		N		U		D		N		
S	E	C	O	N	D		S	P	A	N
E		O		N		A		E		
W	O	R	K	I	N	G		T	O	G
A		R		E		I		R		L
T	O	E		R	A	V	I	O	L	I
E		C				E		N		G
R	U	T	H		N	O	T	I	M	E
	T		O		U		Z		N	
D	E	P	A	R	T	M	E	N	T	

189

	S		F		U	N	F	I	T	
S	T	I	L	T	O	N		I		A
	Y		A		W	A	G	E	S	
O	M	I	T	S		I		S		K
	I		O		A	N	D			
S	E	R	U	M		D	R	I	L	L
			T	A	G		O		O	
E		B		D		S	W	E	A	T
R	E	L	I	C		N		D		
A		U		A	L	L	E	G	E	D
S	L	E	E	P		D		D		

190

	P	H	O	T	O	C	O	P	Y	
D		A		U		A		O		
R	E	B	U	S		S	U	M	U	P
A		I		K		U		R		
W	I	T	S		W	A	D	D	L	E
B		A		D		L		E		T
A	T	T	A	I	N		G	L	U	E
C		S		I		I		N		
K	A	F	K	A		R	I	G	I	D
	E		R		O		H		S	
T	E	R	M	I	N	A	T	E		

191

	G	O	T	H	R	O	U	G	H	
P		L		O		U		O		I
A	L	D	E	R		R	I	S	E	N
S		S		S		L		T		
S	O	C	K	E	T		L	I	N	E
W		I		S		N		N		
O	A	T	H		F	U	N	G	U	S
R		I		H		B		I		
D	I	Z	Z	Y		M	O	I	S	T
S		E		P		I		R		Y
	U	N	D	E	R	T	A	K	E	

192

R	E	M	E	M	B	E	R	I	N	G
	N		N		U		C		E	
C	R	A	G		M	O	T	I	O	N
	O		A		P		E		O	
P	U	R	G	E		B	U	R	M	A
	T		E		T		O			
T	E	R	S	E		S	T	I	N	G
A		H		P		E		I		
N	A	I	V	E	R		R	A	T	S
K		N		O		L		O		
S	O	O	T	H	S	A	Y	E	R	S

Solutions

193

T	H	E	R	E	A	F	T	E	R	
	I		U		N		I		I	
U	S	A	B	L	E		G	I	G	S
	T				W		H			
L	O	U	S	E		S	T	E	M	S
	R		A				L		I	
L	Y	I	N	G		T	Y	I	N	G
			G		J				I	
A	V	E	R		I	N	C	O	M	E
	E		I		G		E		U	
	T	R	A	N	S	F	O	R	M	S

194

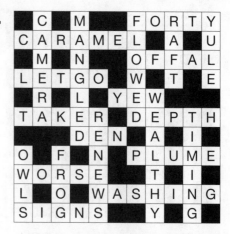

	C		M			F	O	R	T	Y
C	A	R	A	M	E	L		A		U
	M		N			O	F	F	A	L
L	E	T	G	O		W		T		E
	R		L		Y	E	W			
T	A	K	E	R			D	E	P	T	H
				D	E	N		A		I
O		F		N			P	L	U	M	E
W	O	R	S	E			T		I	
L		O			W	A	S	H	I	N	G
S	I	G	N	S				Y		G

195

T	R	A	N	S	F	E	R	R	A	L
	E		I		A		E		P	
E	M	E	T	I	C		V	A	T	S
	O		T		I					
K	V	A	S	S		U	S	U	R	Y
	E		H				E		E	
O	D	E	O	N		A	D	A	G	E
			O		Z				A	
S	W	A	T		U	P	W	A	R	D
	O		U		L		I		D	
H	E	L	P	F	U	L	N	E	S	S

196

I	N	A	T	T	E	N	T	I	O	N
T		L		V		A		U		
E	N	T	I	R	E		R	O	T	S
M		A		N		T		L		
S	T	R	A	Y		F	L	O	O	R
	I		R			E		U		
S	M	O	C	K		S	T	U	D	Y
	P		H		P		R		A	
L	A	V	A		R	U	B	B	E	R
	N		I		E			A		N
D	I	S	C	I	P	L	I	N	E	S

197

	P	R	O	C	E	D	U	R	E	
S		U		L		A		E		A
O	B	E	S	E		B	A	S	I	C
C			A		S		P		I	
I	N	S	E	R	T		D	E	A	D
A		E		S		P		C		H
L	U	R	K		G	H	E	T	T	O
I		V		S		O			U	
S	C	I	O	N		B	U	R	N	S
T		C		U		I		O		E
	K	E	Y	B	O	A	R	D	S	

198

	E	R	A	D	I	C	A	T	E	
F		E		E		I		E		
L	U	M	P	S		T	R	A	C	E
I		A		K		R				M
P	A	I	L		H	U	B	B	U	B
F		N		R		S		I		E
L	I	S	S	O	M		B	A	R	D
O			M		S		S			D
P	A	S	H	A		W	H	I	T	E
	T			J		A		N		D
	E	S	P	I	O	N	A	G	E	

199

S	A	T	O	R	I		C	O	W	L
A		E		N		O		O		
I	N	M	O	S	T		U	M	B	O
N		P		E		R		B		
T	A	I	L	O	R		I	N	L	Y
	I		A		V		E		E	
B	R	A	N		E	R	R	O	R	S
	M		D		N		N		T	
M	A	L	I		I	M	P	A	L	A
	I		N		N		I		R	
P	L	U	G		G	F	O	R	C	E

200

O	V	E	R	P	R	I	C	E	D	
	A		O		O		O		L	
A	L	I	G	N	S		N	I	C	E
	I				E		F			
M	A	T	C	H		T	I	R	E	D
	N			L			N		L	
A	T	L	A	S		N	E	V	E	R
			S		S				C	
O	F	F	S		L	O	C	A	T	E
	O		I		A		U		E	
R	E	C	O	M	M	E	N	D	S	

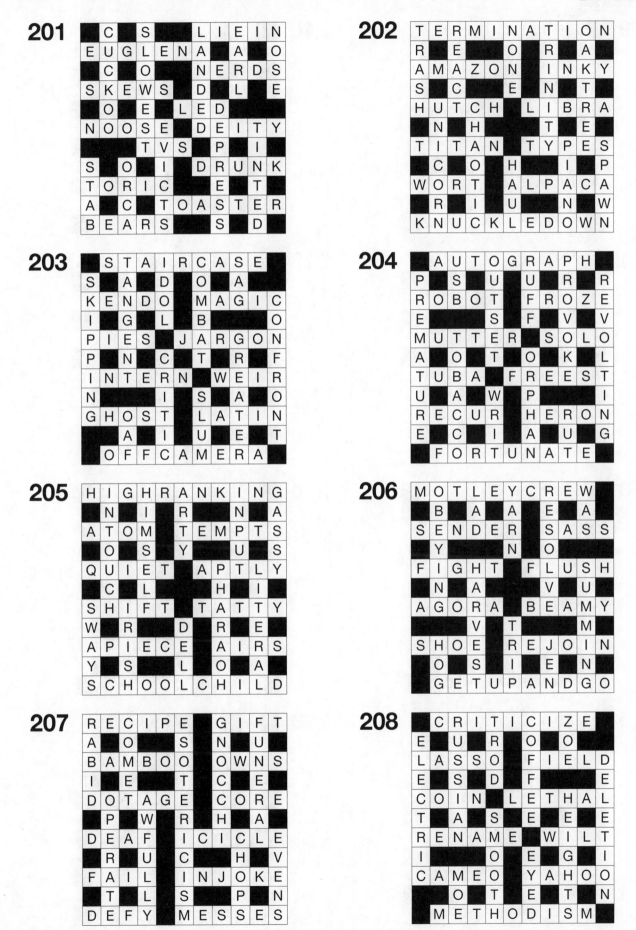

201

	C	S			L	I	E	I	N
E	U	G	L	E	N	A		A		O
	C		O			N	E	R	D	S
S	K	E	W	S		D		L		E
	O		E		L	E	D			
N	O	O	S	E		D	E	I	T	Y
			T	V	S		P		I	
S		O		I		D	R	U	N	K
T	O	R	I	C			E		T	
A		C		T	O	A	S	T	E	R
B	E	A	R	S			S		D	

202

T	E	R	M	I	N	A	T	I	O	N
R	E			O		R		A		
A	M	A	Z	O	N		I	N	K	Y
S		C			E		N		T	
H	U	T	C	H		L	I	B	R	A
	N		H			T		E		
T	I	T	A	N		T	Y	P	E	S
	C		O		H			I		P
W	O	R	T		A	L	P	A	C	A
	R		I		U			N		W
K	N	U	C	K	L	E	D	O	W	N

203

	S	T	A	I	R	C	A	S	E	
S		A		D		O		A		
K	E	N	D	O		M	A	G	I	C
I		G		L		B				O
P	I	E	S		J	A	R	G	O	N
P		N		C		T		R		F
I	N	T	E	R	N		W	E	I	R
N			I		S		A		O	
G	H	O	S	T		L	A	T	I	N
		A		I		U		E		T
	O	F	F	C	A	M	E	R	A	

204

	A	U	T	O	G	R	A	P	H	
P		S		U		U		R		R
R	O	B	O	T		F	R	O	Z	E
E			S		F		V		V	
M	U	T	T	E	R		S	O	L	O
A		O		T		O		K		L
T	U	B	A		F	R	E	E	S	T
U		A		W		P				I
R	E	C	U	R		H	E	R	O	N
E		C		I		A		U		G
	F	O	R	T	U	N	A	T	E	

205

H	I	G	H	R	A	N	K	I	N	G
	N		I		R		N		A	
A	T	O	M		T	E	M	P	T	S
	O		S		Y		U		S	
Q	U	I	E	T		A	P	T	L	Y
	C		L		H		I			
S	H	I	F	T		T	A	T	T	Y
W		R		D		R		E		
A	P	I	E	C	E		A	I	R	S
Y		S		L		O		A		
S	C	H	O	O	L	C	H	I	L	D

206

M	O	T	L	E	Y	C	R	E	W	
	B		A		A		E		A	
S	E	N	D	E	R		S	A	S	S
	Y			N			O			
F	I	G	H	T		F	L	U	S	H
	N		A			V		U		
A	G	O	R	A		B	E	A	M	Y
		V		T			M			
S	H	O	E		R	E	J	O	I	N
	O		S		I		E		N	
	G	E	T	U	P	A	N	D	G	O

207

R	E	C	I	P	E		G	I	F	T
A		O		S		N		U		
B	A	M	B	O	O		O	W	N	S
I		E		T		C		E		
D	O	T	A	G	E		C	O	R	E
	P		W		R		H		A	
D	E	A	F		I	C	I	C	L	E
	R		U		C		H		V	
F	A	I	L		I	N	J	O	K	E
	T		L		S			P		N
D	E	F	Y		M	E	S	S	E	S

208

	C	R	I	T	I	C	I	Z	E	
E		U		R		O		O		
L	A	S	S	O		F	I	E	L	D
E		S		D		F				E
C	O	I	N		L	E	T	H	A	L
T		A		S		E		E		E
R	E	N	A	M	E		W	I	L	T
I			O		E		G		I	
C	A	M	E	O		Y	A	H	O	O
		O		T		E		T		N
	M	E	T	H	O	D	I	S	M	

Solutions

209

```
. C O M E C L E A N .
T . F . X . A . T . P
E A T U P . I N F E R
D . . . A . N . I . I
D U R I N G . B R A M
Y . E . D . S . S . A
B E V Y . L A T T E R
E . E . F . L . . . I
A U R A L . M O D E L
R . S . E . O . O . Y
. R E T A I N I N G .
```

210

```
. T . A . . R U L E D
S U R N A M E . O . U
. M . A . . F R U I T
B U D G E . O . T . Y
. L . R . A R M . . .
S T R A W . M I N E D
. . . M I D . S . M .
B . C . T . G L O B E
A W A S H . . E . A .
R . M . I M P A I R S
B A S I N . . D . K .
```

211

```
E F F I C I E N T L Y
Q . O . C . O . E . .
U N L O C K . V O T E
I . I . Y . E . D . .
P R O B E . F L O O D
. U . U . . T . W . .
K N I F E . V Y I N G
. D . F . L . N . U .
C O M A . A D J U S T
. W . L . I . I . S .
I N C O R R E C T L Y
```

212

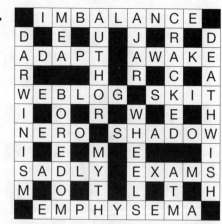

```
G O T H I C . F L A G
R . R . . R . R . G .
I N A W A Y . A C I D
E . I . . S . N . T .
F I N E S T . T H A W
. N . X . A . I . T .
S K I P . L O C K E D
. W . O . B . I . R .
P E A S . A C A C I A
. L . E . L . K . I .
P L O D . L E S S E N
```

213

```
. S U M M A R I Z E .
A . N . O . E . O .
Q U I L L . C H O S E
U . F . E . O . . X
A V I D . C R E D I T
R . E . E . D . U . E
I N D E N T . C L A N
U . . . W . G . L . D
S O F A R . U K A S E
. . R . A . R . R . D
. C O M P O U N D S .
```

214

```
. I M B A L A N C E .
D . E . U . J . R . D
A D A P T . A W A K E
R . . . H . R . C . A
W E B L O G . S K I T
I . O . R . W . E . H
N E R O . S H A D O W
I . E . M . E . . . I
S A D L Y . E X A M S
M . O . T . L . T . H
. E M P H Y S E M A .
```

215

```
P E R F O R M A N C E
. N . R . A . A . X
P L E A . S C R I M P
. A . G . P . V . E
B R A I N . S M E L L
. G . L . . . I . I
K E Y E D . D R A G S
O . E . B . R . H
A P A T H Y . O A T S
L . R . T . R . E
A N N I V E R S A R Y
```

216

```
. A . R . . O W N E R
C L E A R U P . A . O
. L . I . . E B B E D
R E I N S . N . S . E
. G . B . P L S . . .
B E L O W . Y U C C A
. . . W I T . N . O .
S . J . L . A R R O W
W O U L D . . I . L .
U . D . L O B S T E R
M O O D Y . . E . D .
```

217
```
E N C O U R A G I N G
P H   O   E   O
O X A L I S   A R M Y
C   I   Y   R   I
H A R S H   T I N N Y
    M   H     N   E
P O L A R   A G U E D
    R   M   O   V   W
P O M P   U N S U R E
    S   O   C   L   L
G O T O T H E W A L L
```

218
```
C O R R U P T I N G
  U   A   R   G   E
A T E M P O   N U M B
  S     F   O
F I E R Y   G R E E K
  D   I     E   X
M E R C Y   A D O P T
      O   P     O
G R I T   I N V E R T
  O   T   N   I   T
  B L A N K V E R S E
```

219
```
  S T A N D A R D S
O   U   E   L   I   P
V A G U E   L L A M A
E     D   Y   L   T
R E A D E R   D E A R
W   M   D   R   C   O
H A I L   M A N T E L
E   A   F   N     C
L A B E L   D O G M A
M   L   I   O   I   R
  S E N T I M E N T
```

220
```
  E D I T O R I A L
A   I   A   E   I
B I S O N   C A M P S
S   G   S   O     H
O V U M   P U R S U E
L   S   M   P   M   P
U N T R U E   P O S H
T     D   G   O   E
E M B E D   O U T E R
      E   L   L   H   D
  U N S E L F I S H
```

221
```
C O N T E M P L A T E
  R   R   A   N   N
R I T E   G E N I U S
  G   A   E   M   U
R A N T S   U S A G E
  M   E   C   A
K I N D S   F R O G S
N   U   S   A   A
A R D E N T   T A R N
V   G   A   C   I
E Y E C A T C H I N G
```

222
```
R E F E R S   L A R K
E   I   U   O   E
H O L D U P   W I C K
A   E   E   B   O
B A D G E R   R A V E
  V   L   I   O   E
L E G O   O N W A R D
  R   W   R   L   O
T A X I   I N F A M Y
  G   N   T   R   E
B E R G   Y E S M A N
```

223
```
C O I N C I D E N C E
  B   E   D   X   R
A S W E L L   P A Y S
  E     Y   L
W R A P S   W O O E R
  V   R   I   J
T E P E E   S T E E L
    C   U   C
G H E E   S A N I T Y
  A   D   E   D   E
U N D E R S T A N D S
```

224
```
F U R L O N G   C S I
E   E   H   E   O   N
A D S   M A N A G E D
T   I   S   D   N   U
U R G E   R E M O V E
R   N   I   R   S   C
E X A L T S   E C H O
L   T   S   S   E   U
E V I D E N T   N O R
S   O   L   A   T   S
S O N   F O R G I V E
```

225
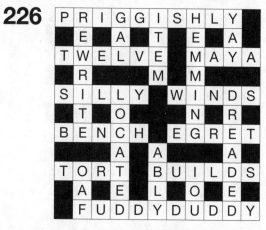

```
A S S I S T S . T I P .
C . H . K . T . W . S .
C R E D I B I L I T Y .
O . . . N . C . S . C .
U S S R . S K E T C H .
N . P . C . Y . E . I .
T A R M A C . I D E A .
A . A . V . S . . . T .
N O W H E R E N E A R .
C . L . I . A . D . I .
Y E S . N O M A D I C .
```

226
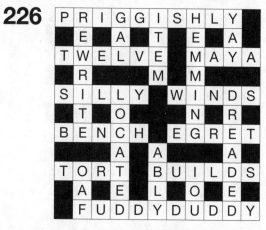

```
P R I G G I S H L Y .
. E . A . T . E . A .
T W E L V E . M A Y A
. R . . M . M . . . .
S I L L Y . W I N D S
. T . O . . N . R . .
B E N C H . E G R E T
. . A . A . . . A . .
T O R T . B U I L D S
. A . E . L . O . E .
F U D D Y D U D D Y .
```

227

```
I N T E N T I O N A L
L . A . E . D . U . E
L I N E A G E . M U G
U . . T . S . E . I .
S U P P L Y . E R A S
T . R . Y . W . I . L
R O O K . G O T C H A
A . B . A . M . . . T
T T L . T A B L E A U
E . E . T . A . T . R
D E M O N S T R A T E
```

228

```
C Y C L E S . M O V E
H . O . . H . A . U .
A F R I C A . J O L T
R . G . V . O . T . .
M A I T A I . R O U T
. N . R . N . C . R .
R O M A . G R A V E L
. D . I . F . I . O .
H Y M N . O P E R A S
. N . E . A . U . E .
H E L D . M A S S E S
```

229

```
C O M M U N I T I E S
L . I . O . O . M . .
O R G A N S . P U P S
A . H . Y . S . T . .
K E T C H . S P R I G
. T . A . . I . E . .
S H O R E . E N T R Y
. I . I . S . W . E .
S C A B . P A T I N A
. A . O . I . S . R .
I L L U S T R A T E S
```

230

```
A D M O N I T I O N S
. E . N . D . N . E .
S C R O L L . J E T S
. A . . E . U . . . .
I D E A L . A R C E D
. E . L . E . X . . .
P S A L M . A D E P T
. . E . T . . E . . .
S W I G . H A T I N G
. A . R . A . M . S .
U N S O L I C I T E D
```

231

```
S T E R E O T Y P E D
. O . E . P . L . R .
H U L A . T R A U M A
. R . D . S . T . P .
D I G I N . S T O L E
. S . N . . H . A . .
S T A G E . B E R Y L
A . N . . G . O . I .
L E G A T O . R U N E
V . L . . S . E . T .
O V E R T H E M O O N
```

232

```
. D . S . . N A D I R
V A N I L L A . O . A
. H . S . R E L A Y .
C L O T H . R . E . S
. I . E . T O M . . .
H A I R S . W I S E R
. . . S E W . N . Q .
A . H . L . B U Y U P
S C O R E . . T . A .
K . P . C R U E L T Y
S L E P T . . S . E .
```

233

```
S P A N I S H · B O P
T · C · B · O · A · R
R E C E I P T · R I O
I · O · S · D · A · V
N O U N · P O N C H O
G · N · O · G · K · C
A T T U N E · N O V A
L · A · S · O · B · T
O W N · P U N J A B I
N · T · E · U · M · V
G A S · C A S C A D E
```

234

```
C O N S T R A I N E D
O · I · I · D · A · I
M E M E N T O · I N S
P · · Y · N · L · C ·
U P T O · M I L I E U
T · I · E · S · N · S
E N T O M B · E G O S
R · A · B · E · · I ·
I A N · A R T D E C O
Z · I · L · N · O · N
E N C O M P A S S E S
```

235

```
H Y D R O P H O B I A
I · E · P · Y · E · L
G E N · A M B I E N T
H · T · L · R · · O ·
L A I D · F I L M I C
I · S · P · D · E · U
G U T T E R · E X A M
H · · L · U · I · U ·
T A I L O R S · C P L
E · D · T · E · A · U
R E S T A U R A N T S
```

236

```
D I S T I N G U I S H
R · P · E · N · A · ·
A Z A L E A · I O N S
W · S · T · F · G · ·
L I M I T · T I A R A
· S · M · E · I · · ·
D R I P S · A S S A Y
· A · E · S · U · O ·
S E G A · H O N S H U
· L · C · A · H · T ·
N I G H T M A R I S H
```

237

```
· B · B · J O K E D
L O B E L I A · O · U
· N · A · G R O W S
U S E R S · U · K · K
· A · D · J A M · ·
B I T E S · R O M E O
· · D A B · N · D
A · E · M B A S I S
R A D I O · R · T
M · G · S A T C H E L
S T E L A · H · D
```

238

```
D E M O L I S H E S ·
· X · A · O · A · E
S P I R I T · P U C E
· E · · A · P · ·
S C U D S · L E N D S
· T · E · N · E · ·
A S I D E · U S I N G
· · U · A · I · ·
T O R C · B R E E Z E
· U · E · B · A · E
· R E S T A U R A N T
```

239

```
A B R A C A D A B R A
S · E · U · U · I · C
C O V E R E D · C F C
E · · I · S · Y · O
R A K I N G · S C A M
T · I · G · S · L · P
A R C S · P E S E T A
I · K · S · V · N ·
N C O · M A E S T R I
E · F · E · R · L · E
D I F F E R E N C E S
```

240

```
· F O L L O W E R S ·
O · C · I · E · E · T
V O T E S · B U N C H
E · · T · S · D · E
R I P P E D · H E L M
D · L · D · C · R · E
R E A R · G O S S I P
A · T · I · U · · A
F R E E D · R A R E R
T · A · O · T · U · K
· P U B L I S H E D ·
```

Solutions

241

```
A G O R A P H O B I A
T . E . R . E . U . L
M A D E I R A . I L L
O . . D . R . L . . O
S E C T . S T A T I C
P . A . D . S . U . A
H O U S E S . S P A T
E . T . T . S . . . I
R O I . . O N T H E G O
I . O . U . U . T . N
C O N T R A D I C T S
```

242

```
N A T I V E S . P I C
E . H . E . E . R . A
E X O T I C A . O U T
D . U N . S . P . H
F O G S . R O C O C O
U . H . P . N . S . L
L I T T L E . W I K I
N . L . A . B . T . C
E K E . T E R M I N I
S . S . E . A . O . S
S T S . S Y N O N Y M
```

243

```
H E X A D E C I M A L
. X . I . W . N . S
S C A R C E . F A K E
. I . R . A . A
S T A G Y . O N S E T
. E . O . T . Y
I S S U E . A S S E S
. . N . T . . W
I B I D . H A D E A N
. M . E . U . A . S
H I E R O G L Y P H S
```

244

```
. C O N D U C T E D .
A . B . A . H . L
F I V E R . O F F E R
T . I . T . I . E
E R O S . A C I D I C
R . U . P . E R . K
A B S U R D . G A L L
L . . A . G . I . E
L O B B Y . L I N K S
. U . E . U . E . S
. A N D R O M E D A .
```

245

```
C I T I Z E N S H I P
O . A . O . U . E . O
M U D . M I N E R A L
M . P . B . S . . . Y
U T O P I A . P R I M
N . L . E . H . E . O
I C E D . W A I T E R
C . . G . W . R . P
A L F A L F A . A S H
T . O . E . I . C . I
E U P H E M I S T I C
```

246

```
P R A C T I C A L S .
. A . I . B . T . A
I N S A N E . H I T S
. G . . . X . E
L I M B S . P I X I E
. N . E . . . S . N
A G E N T . S M A C K
. . . G . I . . . L
J A V A . S T A S I S
. P . L . I . D . N
. R E I N S T A T E D
```

247

```
A . A . S . S . E . E
C O N S U L T A N T S
C . T . B . I . M . T
U N I F O R M . I N A
M . . R . U . T . . B
U R G E D . L O Y A L
L . U . I . A . . . I
A L I . N O T I C E S
T . D . A . I . R . H
E L E C T R O C U T E
D . S . E . N . X . S
```

248

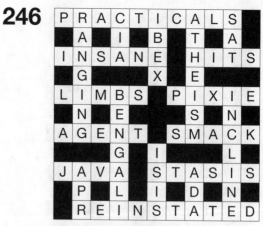

```
. E . B . . S L U R P
A M E R I C A . D . E
. B . E . . F R O N T
T R I A L . E . N . S
. Y . K . U S P
M O T I F . T A S T E
. . . N A P . T . R
S . I . T . S T E A M
P U N I C . . E . C
O . O . A N O R A K S
T E N E T . . N . S
```

249

```
T E M P O R A R I L Y
O   E     U   E   U
W A S H E S   F I G S
E   O   E   O   G
L I N E D   A R E A S
  T   V     M   G
M A N I A     A S S E T
  L   L   S   A   A
J I B E   M Y S T I C
  A   Y   U   A   K
I N V E S T M E N T S
```

250

```
C U S T O M     C U P S
A   Y     O   O   L
T A N D E M   N O O N
C   O     E   C   T
H I D D E N   E A T S
  L   I   T   D   E
C L U E   O V E R D O
  N   H   U   A   D
M E G A   S L I C E D
  S   R   L   E   L
U S E D     Y E A S T Y
```

251

```
  G R A N D J U R Y
E   E   E   I   H
D O V E R   G R O U P
U   E   D   S   R
C A N S   B A M B O O
A   G   B   W   L   P
T H E S I S   M A Y O
E     S   B   Z   S
D E B I T   E L I T E
  A   R   A   N   S
  E N C O U R A G E
```

252

```
I N I T I A T I V E S
  O   E   L   E   M
L I M A   G U I N E A
  S   C   A   U   R
L I G H T   A S S A M
  E   E     E   L
W R I S T   W R E S T
R   N   D   V   O
A C C U S E   A W R Y
T   U   L   N   A
H A R D H I T T I N G
```

253

```
E M P L O Y M E N T
  O   E   E   C   U
A T L A S T   H U T S
  I     I   O
O V A T E   G I V E N
  E   W   N   X
A S C I I   A G A I N
    T   A     T
C H A T   P R E F I X
  I   E   S   G   N
S U R E E N O U G H
```

254

```
P R O G R E S S I V E
  E   O   L   C   A
A S I D E S   R A T E
  U   E   O
S M E A R   G L O V E
  E   C   L   I
A D O R N   F S T O P
    O   S   L
S W A N   L O I T E R
  T   Y   A   K   N
C O M M I T M E N T S
```

255

```
  T E L E S C O P E
A   E   A   R   E
S O L E S   B E E R S
T     I   S   S   S
R E C A L L   C U R E
O   H   Y   E   M   N
N A I L   I N G E S T
O   C   I   A     I
M A K E S   M A M M A
Y   E   L   E   A   L
  U N D E R L I N E
```

256

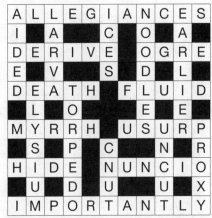

```
A L L E G I A N C E S
I   A   C   O   A
D E R I V E   O G R E
E   V   S   D   L
D E A T H   F L U I D
  L   O   E   E
M Y R R H   U S U R P
  S   P   C   N   R
H I D E   N U N C I O
  U   D   U   U   X
I M P O R T A N T L Y
```

Solutions

257

	S	T	R	U	G	G	L	E	D		
O		A		G		Y		E			
V	I	N	Y	L		P	U	K	K	A	
E		G		Y		S				S	
R	A	R	E		D	U	L	C	E	T	
F		A		G		M		A		E	
L	U	M	B	A	R		S	P	U	R	
O			T		A		T			I	
W	H	O	S	E		C	H	A	T	S	
		R		A		H		I		K	
	O	C	C	U	P	Y	I	N	G		

258

P	R	O	B	L	E	M	A	T	I	C
O		P		E		O		A		O
L	I	T		E	M	B	A	R	G	O
Y		I		S		I				R
T	A	C	O		P	L	A	C	E	D
E		A		F		E		O		I
C	A	L	L	U	S		I	C	O	N
H			L		M		H		A	
N	O	V	E	L	T	Y		L	O	T
I		I		E		T		E		O
C	L	E	A	R	T	H	E	A	I	R

259

I	N	T	E	R	I	M		D	J	S
N		H		O		E		I		T
H	U	E		W	I	N	D	S	O	R
A		R		S		T		T		E
B	E	E	T		C	A	N	A	D	A
I		A		B		L		S		M
T	A	B	L	E	S		H	T	M	L
A		O		L		C		E		I
N	O	U	R	I	S	H		F	I	N
T		T		E		A		U		E
S	I	S		F	I	D	D	L	E	D

260

	H	I	T	O	R	M	I	S	S	
F		R		O		A		A		A
U	P	E	N	D		D	U	M	P	S
L				L		E		P		S
L	A	D	L	E	S		A	L	O	E
B		A		S		A		E		S
L	A	Y	S		B	L	U	R	B	S
O			T		M		A			I
W	H	I	L	E		R	E	S	I	N
N		M		M		M		U		G
	R	E	V	E	R	S	I	N	G	

261

	M		F			T	R	U	T	H
R	I	C	O	T	T	A		L		I
	R		O		K	I	N	G	S	
D	R	I	L	L		I		A		S	S
	O		I		A	N	T			
B	R	U	S	H		G	I	F	T	S
		H	U	D		D		H		
S		S		M		H	Y	D	R	A
T	H	U	M	B			I		O	
O		M		U	N	K	N	O	W	N
W	R	O	N	G			G		N	

262

G	O	B	A	L	L	I	S	T	I	C
E		A		O	N		E			O
N	I	R	V	A	N	A		N	U	N
E			F		R		D			S
R	I	F	T		P	O	L	I	C	E
A		L		S		W		N		N
L	E	A	G	U	E		E	G	G	S
I		R		F		D				U
Z	O	E		F	O	R	E	S	T	S
E		U		E		U		I		E
D	E	P	A	R	T	M	E	N	T	S

263

C	I	R	C	U	L	A	R	S	A	W
	R		U		I		O		L	
P	A	R	T	N	E	R	S	H	I	P
	Q		I				T		K	
L	I	F	E	O	F	R	I	L	E	Y
		O		W		D		E		
O	V	E	R	L	O	A	D	I	N	G
	O		E				I		Y	
D	I	F	F	E	R	E	N	T	L	Y
	L		E		S		E		O	
H	A	I	R	R	A	I	S	I	N	G

264

D	R	I	V	E	N		P	I	E	R
E		N		X		A		G		E
S	A	C	K	I	N	G		N	I	P
T		O		T		I		O		L
R	I	M	E		A	L	U	M	N	A
U		P		J		E		I		C
C	H	E	R	U	B		A	N	N	E
T		T		M		T		I		M
I	C	E		P	R	O	M	O	T	E
O		N		S		F		U		N
N	O	T	E		S	U	B	S	E	T

265

```
T E C H N O L O G Y ▓
▓ A ▓ O ▓ O ▓ F ▓ E ▓
A S L E E P ▓ F I N E
▓ T ▓ ▓ ▓ S ▓ I ▓ ▓ ▓
T E A M S ▓ S C A L Y
▓ R ▓ E ▓ ▓ ▓ E ▓ I ▓
S N A R K ▓ G R A C E
▓ ▓ M ▓ O ▓ ▓ ▓ E ▓ ▓
B E T A ▓ D E C E N T
▓ M ▓ I ▓ E ▓ H ▓ S ▓
▓ U N D E R L I N E S
```

266

```
T O C C A T A ▓ I M P
R ▓ O ▓ G ▓ S ▓ N ▓ R
A F F R O N T ▓ E M O
N ▓ F ▓ G ▓ R ▓ F ▓ C
S U E D ▓ B A F F L E
P ▓ E ▓ B ▓ L ▓ E ▓ E
O B T A I N ▓ A C E D
R ▓ A ▓ T ▓ B ▓ T ▓ I
T A B ▓ M I L L I O N
E ▓ L ▓ A ▓ U ▓ V ▓ G
D Y E ▓ P O R T E R S
```

267

```
B L O O D S U C K E R
▓ O ▓ D ▓ I ▓ O ▓ O ▓
O B J E C T ▓ U R N S
▓ B ▓ ▓ ▓ E ▓ N ▓ ▓ ▓
M I S T Y ▓ S T U M P
▓ E ▓ H ▓ ▓ ▓ E ▓ O ▓
A D D O N ▓ B R I D E
▓ ▓ U ▓ N ▓ ▓ ▓ U ▓ ▓
S M O G ▓ A R G A L I
▓ A ▓ H ▓ T ▓ E ▓ E ▓
C O N T R O V E R S Y
```

268

```
▓ G R A N D S L A M ▓
E ▓ I ▓ U ▓ P ▓ V ▓ ▓
C A S E D ▓ H E A D S
L ▓ K ▓ E ▓ E ▓ ▓ ▓ I
E V I L ▓ P R I C E D
C ▓ N ▓ A ▓ E ▓ O ▓ E
T O G G L E ▓ S L O W
I ▓ ▓ K ▓ K ▓ D ▓ ▓ A
C I R C A ▓ N O W A Y
▓ ▓ S ▓ L ▓ I ▓ A ▓ S
▓ M I N I S T E R S ▓
```

269

```
P E R M A N E N T L Y
▓ M ▓ E ▓ U ▓ H ▓ A ▓
S P A R ▓ L I N E A R
▓ T ▓ C ▓ L ▓ T ▓ N ▓
S I N U S ▓ S T A R S
▓ E ▓ R ▓ ▓ ▓ E ▓ E ▓
P R A Y S ▓ G R U F F
O ▓ X ▓ M ▓ R ▓ R ▓ ▓
E D I B L E ▓ I M A M
T ▓ A ▓ Z ▓ F ▓ I ▓ ▓
S E L F D E N Y I N G
```

270

```
▓ F ▓ B ▓ ▓ B L I N D
F U S I L L I ▓ N ▓ I
▓ T ▓ S ▓ ▓ T U N E S
S I G H T ▓ T ▓ S ▓ H
▓ L ▓ O ▓ Q E D ▓ ▓ ▓
H E L P S ▓ N E E D S
▓ ▓ ▓ S T H ▓ E ▓ A ▓
A ▓ F ▓ U ▓ O M E N S
G R O O M ▓ ▓ I ▓ I ▓
E ▓ C ▓ P L U N G E R
D A I R Y ▓ ▓ G ▓ L ▓
```

271

```
S U B S T I T U T E S
H ▓ L ▓ M ▓ N ▓ T ▓ T
O P E N U P ▓ C R E W
W ▓ S ▓ S ▓ L ▓ R ▓ ▓
N A S T Y ▓ R A I N S
▓ R ▓ U ▓ ▓ ▓ S ▓ A ▓
H A I R Y ▓ S P E L L
▓ B ▓ K ▓ E ▓ A ▓ A ▓
K I W I ▓ M E S S E D
▓ A ▓ S ▓ U ▓ E ▓ L ▓
I N T H E S A D D L E
```

272

```
▓ E M P T Y N E S T ▓
A ▓ U ▓ R ▓ E ▓ I ▓ A
A L E M M A ▓ W A L K S
L ▓ ▓ ▓ G ▓ S ▓ L ▓ S
A U F A I T ▓ M I N I
T ▓ E ▓ C ▓ W ▓ E ▓ S
O V A L ▓ F E R R E T
N ▓ T ▓ F ▓ E ▓ ▓ ▓ I
C A U S E ▓ K N O W N
E ▓ R ▓ T ▓ L ▓ N ▓ G
▓ M E G A B Y T E S ▓
```

Solutions

273

274

275

276

277

278

279

280

281

```
  E X P E R T I S E
F   I   I   O   T   S
I N S E T   W O R S T
S   H   S   A   A
H A C K E R   M I N G
K   H   R   G   N   G
N E A R   H A S S L E
I   T   S   R   R
F L E C K   B A D G E
E   A   I   L   P   D
  D U S T D E V I L
```

282

```
P I C N I C   L A N D
R   H   R   A   S   I
I C E C O L D   S O S
N   E   N   H   O   C
C O K E   P O N C H O
I   B   T   C   I   U
P S Y C H E   P A I R
A   J   E   D   T   A
L E O   R A I S I N G
L   W   E   D   O   E
Y O L K   J O I N E D
```

283

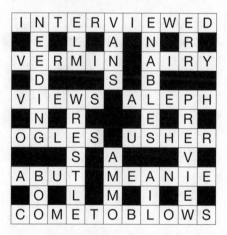

```
D I F F E R S   C O S
U   U   D   C   H   T
P E N   D I O R A M A
L   C   Y   R   I   R
I N T O   S C E N I C
C   I   F   H   L   R
A T O M I C   D E C O
T   N   N   G   T   S
I N I T I A L   T V S
O   N   S   E   E   E
N A G   H U N D R E D
```

284

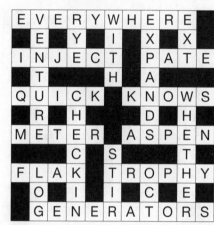

```
E V E R Y W H E R E
  E   Y   I   X   X
I N J E C T   P A T E
  T       H   A
Q U I C K   K N O W S
  R   H       D   H
M E T E R   A S P E N
      C   S       T
F L A K   T R O P H Y
O   I   I   C   E
G E N E R A T O R S
```

285

```
I N T E R V I E W E D
  E   L   A   N   R
V E R M I N   A I R Y
  D       S   B
V I E W S   A L E P H
  N   R   E   R
O G L E S   U S H E R
      S   A   V
A B U T   M E A N I E
  O   L   M   I   E
C O M E T O B L O W S
```

286

```
  P E K I N G E S E
C   N   N   A   T   W
A C T U P   L A U G H
T   U   E   F   I
A W A I T S   O F F S
M   V   S   J   E   P
A W O L   D O O D L E
R   C   S   Y   R
A V A I L   F O R T E
N   D   U   U   O   D
  C O R R E L A T E
```

287

```
D A N G E R O U S L Y
  C   A   A   A   O
S C A R   P L A Y E D
  R   D   S   S   E
C U R E D   S C O W L
  A   N   O   R
S L A S H   E M A I L
T   P   P   F   T
O N R U S H   O A T H
I   I   I   R   E
C A L C U L A T I N G
```

288

```
S T A K E H O L D E R
W   U   A   A   L
E L D E S T   N O E S
L   I   S   T   C
L O O P S   T E S T S
  S   E   R   O
S T I R S   A N G R Y
  R   F   B   R   O
W I R E   R E M A R K
  C   A   A   S   E
P H O T O G R A P H S
```

Solutions

289
```
I N A U T H E N T I C
N N   O   M   O L   L
T A N K T O P   P I E
R     E   L   I     A
O U S T   C O N C U R
D   H   R   Y   A   H
U S A G E S   F L U E
C   M   A   F       A
I S P   S T O P P E D
N   O   O   N   A   E
G O O D N A T U R E D
```

290

```
M I S A N T H R O P Y
  N   T   A     P   U
B E A T U P   T E E M
  R   E   E   R     M
A T O M   S T E A D Y
  I   P       X   E
B A T T E R   C O S T
A   O   I   U   P
Y O K E   F I S C A L
O   E   L   E       I
U N N E C E S S A R Y
```

291
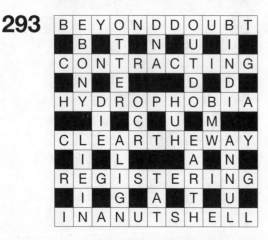
```
  W I T H D R A W S
C   M   E   I   O   A
A L P H A   C A R B S
M     L   H   D     S
P I R A T E   W I F I
A   E   H   N   N   S
I L L S   C A U G H T
G   I   T   I       A
N E E D Y   L A D E N
S   V   P   E   U   T
  D E P E N D E N T
```

292

```
  G   D     C H I L D
B E N E A T H   R   A
  N   S     E D I F Y
W E E K S   E   S   S
  V   T   U R L
J A C O B   S O C K S
      P E G   W   A
E   M   I   J E A N S
B L O W N     R   S
B   A   G A T E W A Y
S O N G S     D   S
```

293
```
B E Y O N D D O U B T
  B   T   N   U     I
C O N T R A C T I N G
  N   E     D   D
H Y D R O P H O B I A
    I   C   U   M
C L E A R T H E W A Y
  I   L   A   N
R E G I S T E R I N G
  I   G   A   T   U
I N A N U T S H E L L
```

294

```
S U B S T I T U T E D
C   I   N   P   U
E M B A R K   D I R T
N   L   S   A   A
E V E R Y   S T A S H
  O   A     E   I
G L O V E   U S U A L
  C   I   M   M   M O
H A L O   A R A B I C
  N   L   G   R   K
P O L I T I C I A N S
```

295

```
P R A C T I C A B L E
  E   H   N   L     L
O P T I O N   L I M B
  L   A   E   N     O
M I E N   R E V I E W
  C   T     I   R
C A L I P H   C H O P
R   E   A   T   S
A N T S   S K I P I T
M   G   T   M   O
P R O G R E S S I N G
```

296

```
S A C R I F I C I N G
  N   O   A     O   G
A G R E E D   B L O W
  U   S   B
R I N S E   P L A N T
  S   T     E   O
A H E A D   C R E T E
      U   A       H
S T U N   C O O K I E
  U   C   I     I   N
M E T H O D O L O G Y
```

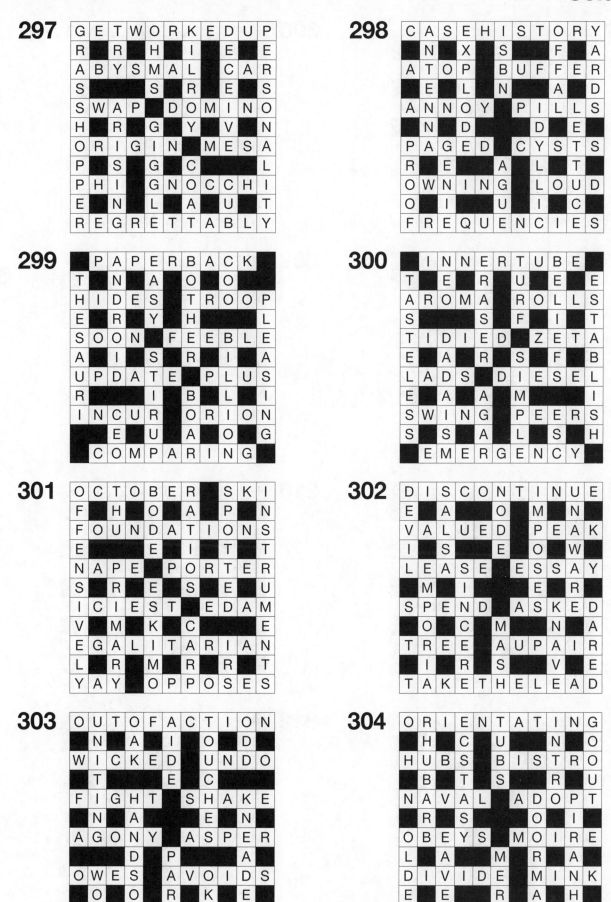

297

G	E	T	W	O	R	K	E	D	U	P
R		R		H		I		E		E
A	B	Y	S	M	A	L		C	A	R
S			S		R		E		E	S
S	W	A	P		D	O	M	I	N	O
H		R		G		Y		V		N
O	R	I	G	I	N		M	E	S	A
P		S		G		C		L	
P	H	I		G	N	O	C	C	H	I
E		N		L		A		U		T
R	E	G	R	E	T	T	A	B	L	Y

298

C	A	S	E	H	I	S	T	O	R	Y
	N		X		S		F		A	
A	T	O	P		B	U	F	F	E	R
	E		L		N		A		D	
A	N	N	O	Y		P	I	L	L	S
	N		D		D		E			
P	A	G	E	D		C	Y	S	T	S
R		E		A		L		L		T
O	W	N	I	N	G		L	O	U	D
O		I		U		I		C		
F	R	E	Q	U	E	N	C	I	E	S

299

	P	A	P	E	R	B	A	C	K	
T		N		A		O		O		
H	I	D	E	S		T	R	O	O	P
E		R		Y		H		L		L
S	O	O	N		F	E	E	B	L	E
A		I		S		R		I		A
U	P	D	A	T	E		P	L	U	S
R			I		B		L		I	
I	N	C	U	R		O	R	I	O	N
			E		U		A		O	G
	C	O	M	P	A	R	I	N	G	

300

	I	N	N	E	R	T	U	B	E	
T		E		R		U		E		E
A	R	O	M	A		R	O	L	L	S
S			S		S		F		I	T
T	I	D	I	E	D		Z	E	T	A
E		A		R		S		F		B
L	A	D	S		D	I	E	S	E	L
E		A		A		M				I
S	W	I	N	G		P	E	E	R	S
S		S		A		L		S		H
	E	M	E	R	G	E	N	C	Y	

301

O	C	T	O	B	E	R		S	K	I
F		H		O		A		P		N
F	O	U	N	D	A	T	I	O	N	S
E				E		I		T		T
N	A	P	E		P	O	R	T	E	R
S		R		E		S		E		U
I	C	I	E	S	T		E	D	A	M
V		M		K		C				E
E	G	A	L	I	T	A	R	I	A	N
L		R		M		R		R		T
Y	A	Y		O	P	P	O	S	E	S

302

D	I	S	C	O	N	T	I	N	U	E
E		A		O		M		N		
V	A	L	U	E	D		P	E	A	K
I		S		E		E		O		W
L	E	A	S	E		E	S	S	A	Y
	M		I			E		R		
S	P	E	N	D		A	S	K	E	D
	O		C		M		N			A
T	R	E	E		A	U	P	A	I	R
	I		R		S		V			E
T	A	K	E	T	H	E	L	E	A	D

303

O	U	T	O	F	A	C	T	I	O	N
	N		A		I		O		D	
W	I	C	K	E	D		U	N	D	O
	T		E		C		C			
F	I	G	H	T		S	H	A	K	E
	N		A			E		N		
A	G	O	N	Y		A	S	P	E	R
			D		P			A		
O	W	E	S		A	V	O	I	D	S
	O		O		R		K		E	
C	O	U	N	T	R	Y	S	I	D	E

304

O	R	I	E	N	T	A	T	I	N	G
	H		C		U		N		O	
H	U	B	S		B	I	S	T	R	O
	B		T		S		R		U	
N	A	V	A	L		A	D	O	P	T
	R		S			O		I	
O	B	E	Y	S		M	O	I	R	E
L		A		M		R		A	
D	I	V	I	D	E		M	I	N	K
E		E		R		A		H	
R	E	S	I	D	E	N	T	I	A	L

Solutions

305

```
B U T T E R   . D O V E
R . H . E .   E . O .
E X O T I C . T O L L
A . R . R .   E . T .
K U N G F U . C O A X
. S . R . I . T . G .
P U M A . .   T O S S E D
. A . B . M . E . U .
G L O B .   E T H N I C
. L . E . N . D . K .
D Y E D .   T H E S E S
```

306

```
F R I N G E . L A M B
I . N . R . I . P . R
N O T I O N S . P R O
G . E . W . L . R . A
E A R S . R E R E A D
R . R . Q . T . C . M
B R U T U S . M I D I
O . P . E . J . A . N
A L T . S H O U T E D
R . E . T . K . E . E
D O D O . M E N D E D
```

307

```
. B L A C K B I R D .
U . E . A . O . I .
S A N E R . W I D O W
E . I . E . T . E .
F E E S . C I R C L E
U . N . R . E . E K
L A T H E R . A N T E
L . T . T . S . N .
Y U C C A . A V O I D
. P . I . R . R . S
. F U L L H O U S E .
```

308

```
R E G U L A T I O N S
A . O . I . N . O .
P A U S E D . S O M E
I . R . S . T . A .
D O D G E . H A R D Y
. U . O . L . I
S T A R K . C L I C K
. C . I . Y . R . A
O R A L . M O D I F Y
. O . L . C . S . A
A P P A R A T C H I K
```

309

```
A D D R E S S I N G .
. E . T . A . M . I .
A B I D E S . P U F F
. A . . H . O .
S T U M P . B R O W N
. E . A . T . E .
A S T E R . O S C A R
. . S . G . T .
S L I T . L A U G H S
. O . R . U . P . E .
P R O C E S S O R S
```

310

```
E M B A R R A S S E S
A . H . I . A . N .
S T R A Y S . T I D E
. C . . E . A .
S H A D E . U N D E R
. E . E . . I . D .
P S Y C H . S C R I P
. . I . A . T .
B E A M . R E C K O N
. Y . A . C . N . R
H E A L T H I N E S S
```

311

```
O B O I S T . C A L F
F . B . U . K . D . R
F A S H I O N . J O E
H . E . T . E . U . E
A F R O . T E R S E R
N . V . C . S . T . A
D R A G O N . A M I D
E . T . U . B . E . I
D U O . C H R O N I C
L . R . H . I . T . A
Y O Y O . W E A S E L
```

312

```
. P I N E A P P L E .
S . N . R . U . E .
L I F T S . L O G I C
I . R . T . S . . L
P O O R . S A M P L E
S . N . R . R . A . A
H A T R E D . G R I N
O . . C . W . T . E
D I A N A . R A I L S
. G . N . E . A . T
. R O U T I N E L Y .
```

313

	O	B	S	T	R	U	C	T	S	
A	I	H		F		E		I	
U	N	C	L	E		O	G	R	E	S
T			O		S		M		O	
O	C	C	U	R	S		P	I	L	L
G		O		Y		T		N		A
R	A	N	T		T	A	U	G	H	T
A		S		S		N			I	
P	A	U	S	E		G	I	Z	M	O
H		L		M		L		I		N
	A	T	L	I	B	E	R	T	Y	

314

M	E	C	H	A	N	I	C	A	L	
	S		I		O		E		A	
S	T	U	P	I	D		N	E	X	T
	U			S		T				
F	A	L	S	E		A	R	G	U	E
	R		T		A		A		N	
T	Y	P	E	S		B	L	I	S	S
		E		P					O	
A	J	A	R		L	A	Y	O	U	T
	A		E		O		O		N	
B	U	D	D	Y	B	U	D	D	Y	

315

R	E	Q	U	I	R	E	M	E	N	T
O		U		A		U		O		
A	R	I	S	E	S		N	E	W	S
S		E		H		D		H		
T	I	T	L	E		L	A	S	E	R
	N		I			N		R		
S	T	A	G	E		F	E	W	E	R
	E		H		M		H		U	
G	N	A	T		E	D	G	I	E	R
	S		E		Z		C		A	
N	E	A	N	D	E	R	T	H	A	L

316

	M		G		C	O	A	T	S	
D	I	P	L	O	M	A		U		O
	M		E			T	U	N	I	S
T	O	D	A	Y		T		T		O
	S		N		A	L	E			
M	A	L	E	S		E	X	C	E	L
			D	I	G		H		L	
W		L		N		W	A	V	E	S
A	B	U	S	E		U			C	
S		M		W	E	B	S	I	T	E
H	A	P	P	Y			T		S	

317

M	O	B	I	L	E		S	I	D	E
U		I		X		I		R		
S	C	R	I	M	P		G	R	U	B
I		D		E		H		N		
C	O	S	M	I	C		T	A	K	E
	M		A		T		E		E	
L	I	A	R		A	I	D	I	N	G
	T		T		T		N		U	
S	T	A	Y		I	N	S	T	E	P
	E		R		O		E		P	
O	D	E	S		N	E	A	R	B	Y

318

R	E	S	P	E	C	T	A	B	L	Y
	Q		R		L		L		E	
P	U	R	E		E	U	R	E	K	A
	A		T		F		A		R	
S	T	E	E	L		O	F	T	E	N
	O		N			O		X		
T	R	A	D	E		B	R	O	A	D
U		R		A		M		M		
N	O	I	S	E	S		U	N	I	T
E		E		A		L		N		
D	I	S	A	P	P	E	A	R	E	D

319

I		S		L		R		K		S
M	E	A	S	U	R	E	M	E	N	T
A		G		M		P		Y		U
G	L	A	C	I	E	R		I	N	N
I			N		E		N			G
N	U	R	S	E		S	U	G	A	R
A		A		S		E				E
T	O	R		C	O	N	D	E	M	N
I		E		E		T		A		A
V	O	L	U	N	T	E	E	R	E	D
E		Y		T		D		N		E

320

A	L	T	E	R	A	T	I	O	N	
	E		R		R		M		S	
A	C	C	E	P	T		P	E	W	S
	T			Y		A				
P	U	L	S	E		I	S	L	E	S
	R		E			S		X		
H	E	A	V	Y		K	E	E	P	S
		E		O					R	
L	A	I	R		M	A	R	K	E	T
	P		A		I		U		S	
P	O	L	I	T	E	N	E	S	S	

Solutions

321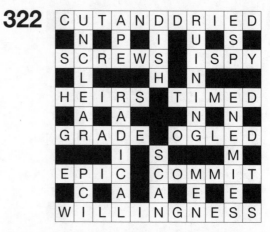

322

323

324

325

326

327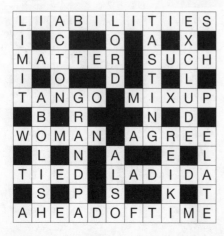

328

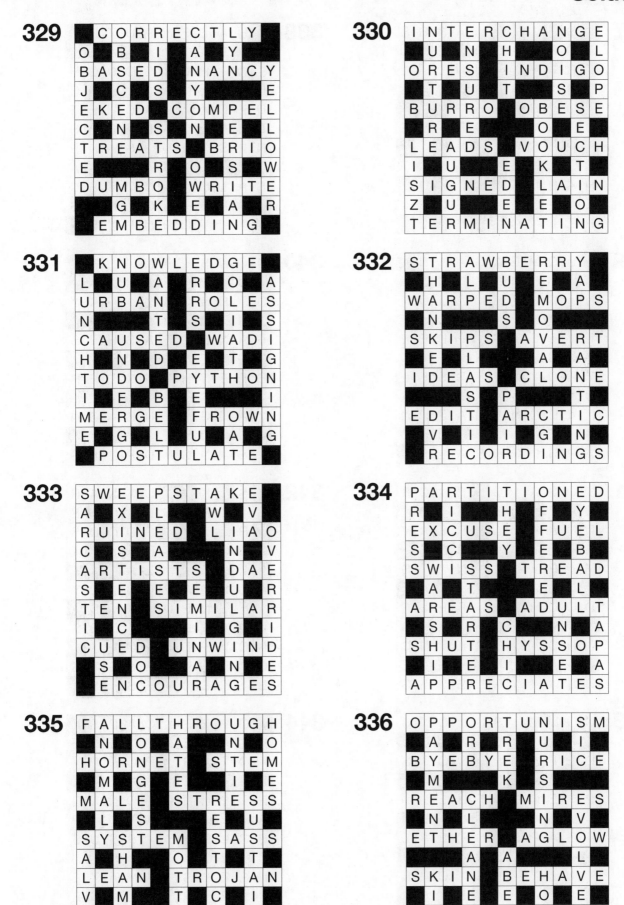

329

	C	O	R	R	E	C	T	L	Y		
O		B		I		A		Y			
B	A	S	E	D		N	A	N	C	Y	
J		C		S		Y				E	
E	K	E	D		C	O	M	P	E	L	
C		N		S		N		E		L	
T	R	E	A	T	S		B	R	I	O	
E			R		O		S			W	
D	U	M	B	O		W	R	I	T	E	
		G		K		E		A		R	
	E	M	B	E	D	D	I	N	G		

331

	K	N	O	W	L	E	D	G	E		
L		U		A		R		O		A	
U	R	B	A	N		R	O	L	E	S	
N				T		S		I		S	
C	A	U	S	E	D		W	A	D	I	
H		N		D		E		T		G	
T	O	D	O		P	Y	T	H	O	N	
I		E		B		E				I	
M	E	R	G	E		F	R	O	W	N	
E		G		L		U		A		G	
	P	O	S	T	U	L	A	T	E		

333

S	W	E	E	P	S	T	A	K	E		
A		X		L		W		V			
R	U	I	N	E	D		L	I	A	O	
C		S		A				N		V	
A	R	T	I	S	T	S		D	A	E	
S		E		E		E		U		R	
T	E	N		S	I	M	I	L	A	R	
I		C				I		G		I	
C	U	E	D		U	N	W	I	N	D	
	S		O			A		N		E	
E	N	C	O	U	R	A	G	E	S		

335

F	A	L	L	T	H	R	O	U	G	H	
	N		O		A		N			O	
H	O	R	N	E	T		S	T	E	M	
	M		G		E		I			E	
M	A	L	E		S	T	R	E	S	S	
	L		S		E		U				
S	Y	S	T	E	M		S	A	S	S	
A		H		O		T		T			
L	E	A	N		T	R	O	J	A	N	
V		M		T		C		I			
O	V	E	R	L	O	O	K	I	N	G	

330

I	N	T	E	R	C	H	A	N	G	E	
	U	N		H		O		L		L	
O	R	E	S		I	N	D	I	G	O	
	T		U	T		S				P	
B	U	R	R	O		O	B	E	S	E	
	R		E			O		E			
L	E	A	D	S		V	O	U	C	H	
I		U		E		K		T			
S	I	G	N	E	D		L	A	I	N	
Z		U		E		E				O	
T	E	R	M	I	N	A	T	I	N	G	

332

S	T	R	A	W	B	E	R	R	Y		
	H		L		U		E		A		
W	A	R	P	E	D		M	O	P	S	
	N				S		O				
S	K	I	P	S		A	V	E	R	T	
	E		L			A		A		A	
I	D	E	A	S		C	L	O	N	E	
			S		P				T		
E	D	I	T		A	R	C	T	I	C	
	V			I		I		G		N	
	R	E	C	O	R	D	I	N	G	S	

334

P	A	R	T	I	T	I	O	N	E	D	
R		I		H		F		Y		
E	X	C	U	S	E		F	U	E	L	
S		C		Y		E			B	
S	W	I	S	S		T	R	E	A	D	
	A		T		E		L			
A	R	E	A	S		A	D	U	L	T	
	S		R		C		N		A	
S	H	U	T		H	Y	S	S	O	P	
	I		E		I		E		A	
A	P	P	R	E	C	I	A	T	E	S	

336

O	P	P	O	R	T	U	N	I	S	M	
	A		R		R		U		I		
B	Y	E	B	Y	E		R	I	C	E	
	M			K		S				
R	E	A	C	H		M	I	R	E	S	
	N		L			N		V		
E	T	H	E	R		A	G	L	O	W	
			A		A				L	
S	K	I	N		B	E	H	A	V	E	
		I		E		E		O		E	
I	N	G	R	A	T	I	T	U	D	E	

Solutions

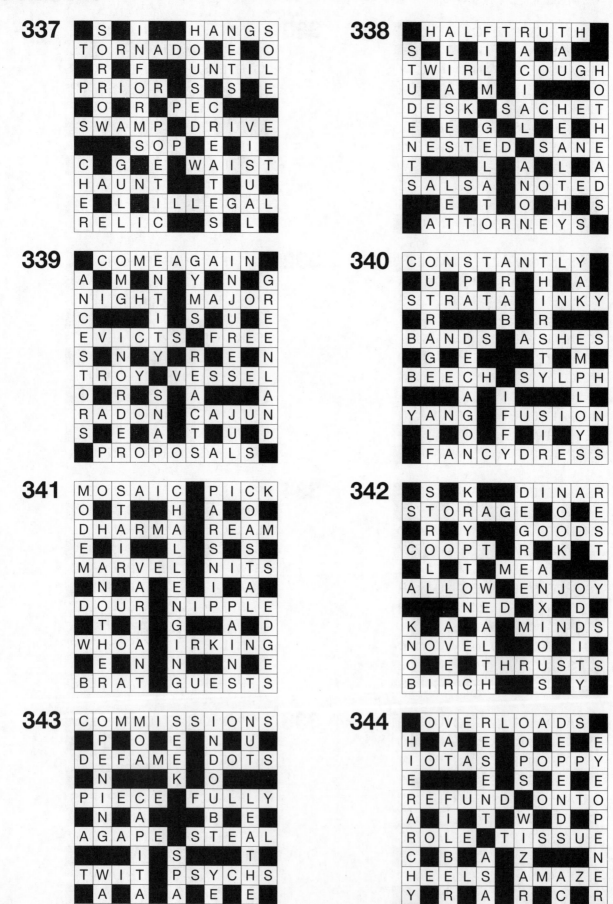

337

	S		I		H	A	N	G	S
T	O	R	N	A	D	O		E	O
	R		F		U	N	T	I	L
P	R	I	O	R		S		S	E
	O		R		P	E	C		
S	W	A	M	P		D	R	I	V	E
			S	O	P		E		I
C		G		E		W	A	I	S	T
H	A	U	N	T			T		U
E		L		I	L	L	E	G	A	L
R	E	L	I	C			S		L

338

	H	A	L	F	T	R	U	T	H	
S		L		I		A		A		
T	W	I	R	L		C	O	U	G	H
U		A		M		I				O
D	E	S	K		S	A	C	H	E	T
E		E		G		L		E		H
N	E	S	T	E	D		S	A	N	E
T				L		A		L		A
S	A	L	S	A		N	O	T	E	D
		E		T		O		H		S
	A	T	T	O	R	N	E	Y	S	

339

	C	O	M	E	A	G	A	I	N	
A		M		N		Y		N		G
N	I	G	H	T		M	A	J	O	R
C			I		S		U			E
E	V	I	C	T	S		F	R	E	E
S		N		Y		R		E		N
T	R	O	Y		V	E	S	S	E	L
O		R		S		A				A
R	A	D	O	N		C	A	J	U	N
S		E		A		T		U		D
	P	R	O	P	O	S	A	L	S	

340

C	O	N	S	T	A	N	T	L	Y	
	U		P		R		H		A	
S	T	R	A	T	A		I	N	K	Y
	R				B		R			
B	A	N	D	S		A	S	H	E	S
	G		E				T		M	
B	E	E	C	H		S	Y	L	P	H
			A		I			L		
Y	A	N	G		F	U	S	I	O	N
	L			O		F		I		Y
F	A	N	C	Y	D	R	E	S	S	

341

M	O	S	A	I	C		P	I	C	K
O		T		H		A		O		
D	H	A	R	M	A		R	E	A	M
E		I		L		S		S		
M	A	R	V	E	L		N	I	T	S
	N		A		E		I		A	
D	O	U	R		N	I	P	P	L	E
	T		I		G		A		D	
W	H	O	A		I	R	K	I	N	G
	E		N		N		N		N	E
B	R	A	T		G	U	E	S	T	S

342

	S		K		E	D	I	N	A	R
S	T	O	R	A	G	E		O		E
	R		Y			G	O	O	D	S
C	O	O	P	T		R		K		T
	L		T		M	E	A			
A	L	L	O	W		E	N	J	O	Y
			N	E	D		X		D	
K		A		A		M	I	N	D	S
N	O	V	E	L			O		I	
O		E		T	H	R	U	S	T	S
B	I	R	C	H			S		Y	

343

C	O	M	M	I	S	S	I	O	N	S
	P		O		E		N		U	
D	E	F	A	M	E		D	O	T	S
	N			K		O				
P	I	E	C	E		F	U	L	L	Y
	N		A			B			E	
A	G	A	P	E		S	T	E	A	L
			I		S				T	
T	W	I	T		P	S	Y	C	H	S
	A		A		A		E		E	
P	R	E	L	I	M	I	N	A	R	Y

344

	O	V	E	R	L	O	A	D	S	
H		A		E		O		E		E
I	O	T	A	S		P	O	P	P	Y
E		E		E		S		E		E
R	E	F	U	N	D		O	N	T	O
A		I		T		W		D		P
R	O	L	E		T	I	S	S	U	E
C		B		A		Z				N
H	E	E	L	S		A	M	A	Z	E
Y		R		A		R		C		R
	S	T	U	P	I	D	I	T	Y	

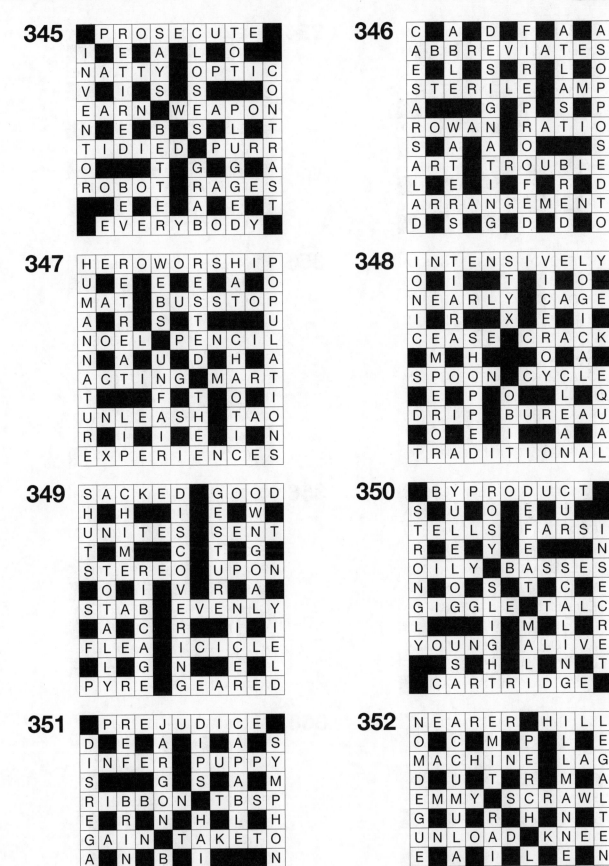

345

	P	R	O	S	E	C	U	T	E	
I		E		A		L		O		
N	A	T	T	Y		O	P	T	I	C
V		I		S		S		S		O
E	A	R	N		W	E	A	P	O	N
N		E		B		S		L		T
T	I	D	I	E	D		P	U	R	R
O				T		G		G		A
R	O	B	O	T		R	A	G	E	S
		E		E		A		E		T
	E	V	E	R	Y	B	O	D	Y	

346

C		A		D		F		A		A
A	B	B	R	E	V	I	A	T	E	S
E		L		S		R		L		O
S	T	E	R	I	L	E		A	M	P
A				G		P		S		P
R	O	W	A	N		R	A	T	I	O
S		A		A		O				S
A	R	T		T	R	O	U	B	L	E
L		E		I		F		R		D
A	R	R	A	N	G	E	M	E	N	T
D		S		G		D		D		O

347

H	E	R	O	W	O	R	S	H	I	P
U		E		E		A		O		O
M	A	T		B	U	S	S	T	O	P
A		R		S		T		U		
N	O	E	L		P	E	N	C	I	L
N		A		U		D		H		A
A	C	T	I	N	G		M	A	R	T
T				F		T		O		I
U	N	L	E	A	S	H		T	A	O
R		I		I		E		I		N
E	X	P	E	R	I	E	N	C	E	S

348

I	N	T	E	N	S	I	V	E	L	Y
O		I		T		I		O		
N	E	A	R	L	Y		C	A	G	E
I		R		X		E				I
C	E	A	S	E		C	R	A	C	K
	M		H			O		A		
S	P	O	O	N		C	Y	C	L	E
	E		P		O		L			Q
D	R	I	P		B	U	R	E	A	U
	O		E		I		A		A	
T	R	A	D	I	T	I	O	N	A	L

349

S	A	C	K	E	D		G	O	O	D
H		H		I		E		W		
U	N	I	T	E	S		S	E	N	T
T		M		C		T		G		
S	T	E	R	E	O		U	P	O	N
	O		I		V		R		A	
S	T	A	B		E	V	E	N	L	Y
	A		C		R		I		I	
F	L	E	A		I	C	I	C	L	E
	L		G		N		E		L	
P	Y	R	E		G	E	A	R	E	D

350

	B	Y	P	R	O	D	U	C	T	
S		U		O		E		U		
T	E	L	L	S		F	A	R	S	I
R		E		Y		E				N
O	I	L	Y		B	A	S	S	E	S
N		O		S		T		C		E
G	I	G	G	L	E		T	A	L	C
L		I		M		L		R		
Y	O	U	N	G		A	L	I	V	E
		S		H		L		N		T
	C	A	R	T	R	I	D	G	E	

351

	P	R	E	J	U	D	I	C	E	
D		E		A		I		A		S
I	N	F	E	R		P	U	P	P	Y
S				G		S		A		M
R	I	B	B	O	N		T	B	S	P
E		R		N		H		L		H
G	A	I	N		T	A	K	E	T	O
A		N		B		I				N
R	O	G	U	E		R	A	B	B	I
D		U		A		D		E		C
	S	P	O	N	S	O	R	E	D	

352

N	E	A	R	E	R		H	I	L	L
O		C		M		P		L		E
M	A	C	H	I	N	E		L	A	G
D		U		T		R		M		A
E	M	M	Y		S	C	R	A	W	L
G		U		R		H		N		T
U	N	L	O	A	D		K	N	E	E
E		A		I		L		E		N
R	A	T		S	T	I	R	R	E	D
R		E		E		M		E		E
E	A	S	T		B	O	R	D	E	R

Solutions

353

```
  S   P     F R E E S
W H I S K E R   X   U
  E   Y     A B I D E
P R I C E   M   T   T
  P   H   P E S
M A G I C     S T A N D
      C R Y   R   E
A   Y   U   M I N U S
M A O R I     K   R
P   G   S O M E H O W
S M I L E     S   N
```

354

```
T E C H N I C A L L Y
  N   A   N   C   O
  I T A L I C   C U B E
  E       H   O
  T R A P S   D U N C E
  E   H       N   O
  I D I O T   S T O R Y
      E   G       R
S P U N   A B A C U S
  A   I   R   L   P
F L E X I B I L I T Y
```

355

```
R E C O R D S   S K A
E   O   I   U   T   S
P O M   V I R T U E S
R   P   E   F   D   E
O R R E R Y   F I T S
A   E   S   C   O   S
C A S K   W E B C A M
H   S   H   L   O   E
F A I R E S T   U R N
U   N   R   I   C   T
L E G   B A C C H U S
```

356

```
  R E F L E C T E D
O   R   O   A   L
M E A L S   L I K E D
I   S   S   I       I
T A I L   S P A C E S
T   N   A   H   L   C
I N G E S T   T O G A
N   H   A   S   R
G A M E R   W E I R D
  A   A   O   N   S
C O S M O L O G Y
```

357

```
  I N N O C E N C E
G   I   P   L   O   A
O N T A P   A R M E D
L   L   O   N   P   M
D E B A S E   S A R I
M   I   E   P   S   R
E G G Y   F I E S T A
D   F   P   E       B
A L O N E   C A N A L
L   O   N   E   B   E
  S T A T E S M A N
```

358

```
O R I G I N A T I N G
  U   U   O   D   L
A D O N I S   T Y P O
  O   D   E   L   R
F L E E   D E P L O Y
  P   C   E   V
C H A K R A   R H E A
L   N   L   H   R
A R I A   A W A R D S
N   M   R   P   U
G R A N D M A S T E R
```

359

```
S I M U L A T I N G
  M   N   L   N   A
I M P O R T   S I G H
  E       O   T
K N O C K   V E N D S
  S   U   A   E
M E R R Y   E D I F Y
      E   P   E
H U L A   A R E N A S
  V   L   T   B   T
A L L T H E B E S T
```

360

```
S T E W A R D S H I P
Y   W   M   A   E   R
C H E A P L Y   A Y E
O   L   S   V   F
P A C K E D   W E R E
H   H   R   I   H   R
A K I N   A N Y O N E
N   M   F   V       N
T I E   A S I A T I C
I   I   T   T       E
C O N F E R E N C E S
```

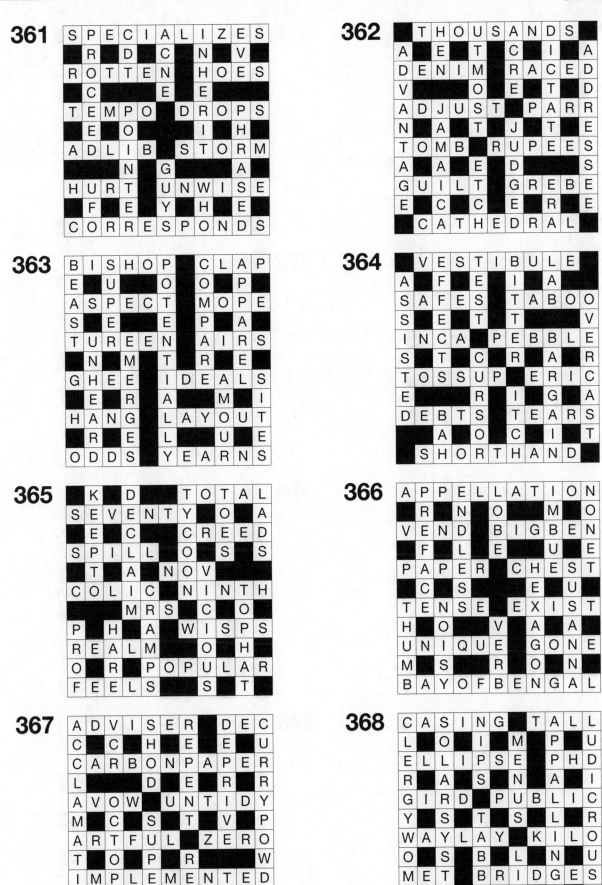

361

S P E C I A L I Z E S
R D C N V
R O T T E N H O E S
C E E
T E M P O D R O P S
E O I H
A D L I B S T O R M
N G A
H U R T U N W I S E
F E Y H E
C O R R E S P O N D S

362

T H O U S A N D S
A E T C I A
D E N I M R A C E D
V O E T D
A D J U S T P A R R
N A T J T E
T O M B R U P E E S
A A E D S
G U I L T G R E B E
E C C E R E
C A T H E D R A L

363

B I S H O P C L A P
E U O O P
A S P E C T M O P E
S E E P A
T U R E E N A I R S
N M T R E
G H E E I D E A L S
E R A M I
H A N G L A Y O U T
R E L U E
O D D S Y E A R N S

364

V E S T I B U L E
A F E I A
S A F E S T A B O O
S E T T V
I N C A P E B B L E
S T C R A R
T O S S U P E R I C
E R I G A
D E B T S T E A R S
A O C I T
S H O R T H A N D

365

K D T O T A L
S E V E N T Y O A
E C C R E E D S
S P I L L O S S
T A N O V
C O L I C N I N T H
M R S C O
P H A W I S P S
R E A L M O H
O R P O P U L A R
F E E L S S T

366

A P P E L L A T I O N
R N O M O
V E N D B I G B E N
F L E U E
P A P E R C H E S T
C S E U
T E N S E E X I S T
H O V A A
U N I Q U E G O N E
M S R O
B A Y O F B E N G A L

367

A D V I S E R D E C
C C H E E U
C A R B O N P A P E R
L D E R R
A V O W U N T I D Y
M C S T V P
A R T F U L Z E R O
T O P R W
I M P L E M E N T E D
O U R N B E
N O S B R O T H E R

368

C A S I N G T A L L
L O I M P U
E L L I P S E P H D
R A S N A I
G I R D P U B L I C
Y S T S L R
W A Y L A Y K I L O
O S B L N U
M E T B R I D G E S
A E Y S L L
N A M E S P R Y L Y

Solutions

369

```
O B T A I N A B L E ■
■ O ■ S ■ O ■ O ■ S ■
B Y P A S S ■ O A T S
■ C ■ ■ E ■ L ■ ■ ■
T O P A Z ■ R E A D S
■ T ■ C ■ ■ A ■ I ■
S T U C K ■ A N G S T
■ ■ O ■ F ■ ■ A ■
B U R R ■ I M B I B E
■ M ■ D ■ R ■ E ■ L ■
A S S E M B L I E S
```

370

```
■ A R C H E T Y P E ■ ■
P ■ I ■ I ■ E ■ U ■ P
L I P I D ■ C O B R A
A ■ ■ I ■ H ■ L ■ R
I M P E N D ■ L I R A
N ■ R ■ G ■ S ■ S ■ L
T O O L ■ L E T H A L
I ■ P ■ T ■ A ■ ■ E
F L O U R ■ L E G A L
F ■ S ■ I ■ E ■ U ■ S
■ S E C O N D I N G ■
```

371

```
A ■ S ■ D ■ D ■ H ■ M
C O N S I D E R A T E
Q ■ U ■ S ■ V ■ R ■ T
U P G R A D E ■ D U E
I ■ ■ P ■ L ■ E ■ O
S H E E P ■ O W N E R
I ■ J ■ O ■ P ■ ■ O
T H E ■ I M M O R A L
I ■ C ■ N ■ E ■ O ■ O
O U T S T A N D I N G
N ■ S ■ S ■ T ■ L ■ Y
```

372

```
S C I N T I L L A T E
E ■ D ■ N ■ E ■ A ■
R E L I E F ■ N I N E
I ■ E ■ O ■ G ■ G ■
F O R C E ■ S T A R T
■ R ■ L ■ ■ H ■ A ■
D E P O T ■ P Y G M Y
■ G ■ S ■ A ■ E ■ A
T A P E ■ C L I N I C
■ N ■ I ■ M ■ O ■ H
C O U N T E R P A R T
```

373

```
S E C O N D S ■ P A C
U ■ O ■ E ■ U ■ R ■ A
P L A Y O F F ■ O D S
E ■ G ■ N ■ F ■ L ■ E
R O U X ■ B I K I N I
M ■ L ■ P ■ X ■ F ■ N
A P A T H Y ■ J E E P
R ■ T ■ Y ■ C ■ R ■ O
K O I ■ S Y L L A B I
E ■ O ■ I ■ A ■ T ■ N
T I N ■ C O N V E R T
```

374

```
■ S ■ B ■ ■ P A R K S
S M A L L E R ■ A ■ A
■ O ■ O ■ I L I U M
G O O S E ■ E ■ L ■ E
■ T ■ S ■ U S A ■ ■
T H R O W ■ T W E R K
■ ■ M O P ■ K ■ O ■
D ■ B ■ R ■ S W I M S
A L E R T ■ ■ A ■ A
U ■ E ■ H E A R I N G
B E R R Y ■ ■ D ■ S
```

375

```
■ O V E R H E A D S ■
C ■ E ■ A ■ A ■ R ■ I
O R G A N ■ C O Y E R
R ■ ■ T ■ H ■ D ■ R
P I C K E D ■ R O T I
O ■ H ■ D ■ R ■ C ■ T
R O O M ■ G U R K H A
A ■ R ■ A ■ S ■ ■ B
T H I N G ■ H O T E L
E ■ Z ■ O ■ E ■ E ■ E
■ C O N G E S T E D ■
```

376

```
A P P R O P R I A T E
■ R ■ A ■ I ■ G ■ U ■
S O U G H T ■ N E X T
■ M ■ ■ Y ■ I ■ ■
V I T A L ■ S T U N T
■ S ■ R ■ ■ E ■ A ■
F E A R S ■ E D I T S
■ ■ A ■ H ■ ■ I ■
S P I N ■ U N H O O K
■ S ■ G ■ S ■ I ■ N
B I T E T H E D U S T
```

377

```
S T A N D A R D I Z E
I   M   U   E   A
N A I V E R   S E P T
G   G   A   I   P
S H O W S   D R U I D
  A   E   E   N
A I S L E   A D A G E
  T   F   B   L   V
D I V A   A F R I C A
  A   R   G   B   D
I N S E N S I T I V E
```

378

```
I N T R A C T A B L E
  E   E   O   L   D
Z I N C   G I V I N G
  T   K   S   N   E
W H O O P   C R I E D
  E   N   A   L
D R E S S   I M P E L
A   X   H   P   G
T A T T O O   A X I S
E   R   B   N   A
D I A G N O S T I C S
```

379

```
R E F E R E N C E D
  X   A   V   A   O
S C Y T H E   T U B E
  I   N   A
S T U F F   B L O C K
  E   U   A   O
E D I C T   O N E N D
    H   I   S
A C T S   R U S H E D
  U   I   K   R   N
T R A N S P O R T S
```

380

```
M A M M O N   D A T E
O   E   E   I   R
A D D I N G   L E E R
N   A   O   E   M
S I L E N T   M O B S
  C   N   I   M   L
P E S T   A M A Z E D
  B   I   T   E   R
W E L T   I B E R I A
  R   L   N   O   W
O G L E   G O D S O N
```

381

```
  D   P   T U T O R
S E V E N T H   O   O
  F   R   I N T O W
F I R S T   E   S   S
  N   E   A V E
D E B U G   E V I C T
    S U B   O   O
A   T   A   B L A M E
N E W E R   V   M
K   I   D E V E L O P
H I N T S   S   N
```

382

```
  P H O T O C O P Y
B   A   U   U   O   A
I N N E R   B U I L D
G   K   S   S   V
C E A S E D   D O N E
H   L   Y   B   N   R
E L M S   V E R S U S
E   A   P   A   E
S U N N Y   C I V I L
E   A   R   O   A   Y
  S C R E E N I N G
```

383

```
D I S C O V E R I E S
  N   L   E   D   O
F U T U R E   W I L L
  T   S   R   O   I
P E R T   S U M M E D
  R   E   E   A
B O R R O W   T A S S
A   E   I   H   T
S E A T   P O O R E R
I   R   E   D   R
C O M P A R I S O N S
```

384

```
S   W   A   F   D   A
T R A N S F E R R E D
R   I   S   A   A   O
O P T O U T S   G E L
N   A   I   O   E
G O I N G   B A N K S
H   N   E   I   S   C
O F T   M I L E A G E
L   A   E   I   Q   N
D E C O N S T R U C T
S   T   T   Y   A   S
```

Solutions

385
```
G E N T L E M A N L Y
  Y   A   A     U   E
S E A R   S I E R R A
  L   G   E     S   R
G A M E S   A B E T S
  S   T       U   R
C H A S E   F I T I N
L   L   T   L   G
U N L I K E   D O G S
E   E   A   U   E
S K Y S C R A P E R S
```

386
```
U N S P E A K A B L E
R   N     H   D   I
G L A N C E   V A N E
E   F     M   A   E
D O U B T   K N E A D
  P   U     C   G
B E A N S   B E S E T
  N   K   B   E   E
G A R B   L I S T E N
  I   E   O   T   D
P R E D I C T I O N S
```

387
```
  C O N F I G U R E
E   P   I   N   I   T
M A T T E   A M P L E
B     R   W   P   M
A T T A C H   W I S P
R   R   E   P   N   E
R E E F   L O N G E R
A   M   F   I       A
S M O K E   S W E E T
S   L   T   O   G   E
  C O M E A N D G O
```

388
```
F I R I N G S Q U A D
O   E   E   A   K   I
O P S   S U C C E E D
T   O   S   R       D
S O R E   W E A S E L
O   T   C   D   H   Y
L A S T E D   R U T S
D     Y   B   F   Q
I N V O L V E   F L U
E   I   O   E   L   A
R E M I N I S C E N T
```

389
```
P A S S T H E B U C K
  P   P   U   E   O
S P A R E S   J A Y S
  O     K   E
S I F T S   S W E D E
  N   R     E   O
S T R A W   P L A N S
      C   A       A
W A T T   C O U N T Y
  G   O   E   A   E
D E C R E S C E N D O
```

390
```
  B U T T E R F L Y
D   N   O   E   U
E T H O S   J A C O B
P   A   S   O       E
E X P O   T I N S E L
N   P   U   N   M   I
D R Y I N G   B O N E
E       S   O   K   V
D O G M A   T H E M E
    O   F   T   R   R
  W A R E H O U S E
```

391
```
M E T E R S   R U S T
A   A   U   O   U
L A P T O P   B U F F
T   E   E   O   F
A N S W E R   T W I G
  A   I   V   I   C
R U I N   I N C H E S
  G   D   S   E   I
S H O O   I N B R E D
  T   W   O   O   E
B Y E S   N E E D E D
```

392
```
  N I C K N A M E S
B   V   I   R   X   F
R O Y A L   M O C H A
O   L   Y   E   C
A R C H E R   M E N U
D   O   D   O   D   L
C E N T   O U T S E T
A   M   S   N       I
S W O R N   C A N O E
T   T   I   E   O   S
  C O M P O S I T E
```

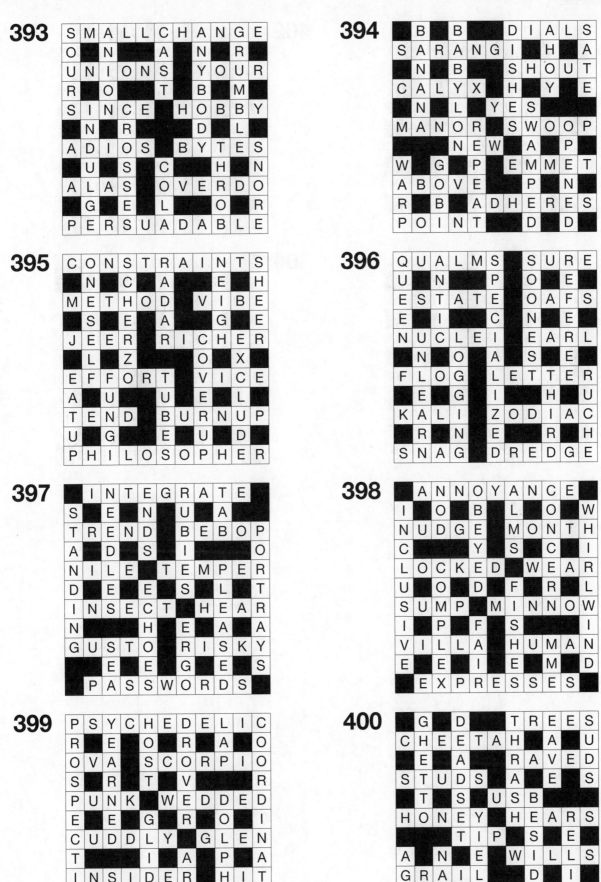

393

S	M	A	L	L	C	H	A	N	G	E
O	N			A		N		R		
U	N	I	O	N	S		Y	O	U	R
R		O		T		B		M		
S	I	N	C	E		H	O	B	B	Y
	N		R			D		L		
A	D	I	O	S		B	Y	T	E	S
	U		S	C		H		N		
A	L	A	S		O	V	E	R	D	O
	G		E		L		O			R
P	E	R	S	U	A	D	A	B	L	E

394

	B		B			D	I	A	L	S
S	A	R	A	N	G	I		H		A
	N		B			S	H	O	U	T
C	A	L	Y	X		H		Y		E
	N		L		Y	E	S			
M	A	N	O	R		S	W	O	O	P
			N	E	W		A		P	
W		G		P		E	M	M	E	T
A	B	O	V	E			P		N	
R		B		A	D	H	E	R	E	S
P	O	I	N	T			D		D	

395

C	O	N	S	T	R	A	I	N	T	S
	N		C		A		E			H
M	E	T	H	O	D		V	I	B	E
			S		E		A		G	E
J	E	E	R		R	I	C	H	E	R
	L		Z			O		X		
E	F	F	O	R	T		V	I	C	E
A		U		U		E		L		
T	E	N	D		B	U	R	N	U	P
U		G		E			D			
P	H	I	L	O	S	O	P	H	E	R

396

Q	U	A	L	M	S		S	U	R	E
U		N		P		O		O		E
E	S	T	A	T	E		O	A	F	S
E		I		C		N		S		E
N	U	C	L	E	I		E	A	R	L
	N		O		A		S		E	
F	L	O	G		L	E	T	T	E	R
	E		G		I		H		U	
K	A	L	I		Z	O	D	I	A	C
	R		N		E		E		R	H
S	N	A	G		D	R	E	D	G	E

397

	I	N	T	E	G	R	A	T	E	
S		E		N		U		A		
T	R	E	N	D		B	E	B	O	P
A		D		S		I				O
N	I	L	E		T	E	M	P	E	R
D		E		E		S	L			T
I	N	S	E	C	T		H	E	A	R
N			H		E		A			A
G	U	S	T	O		R	I	S	K	Y
		E		E		G		E		S
	P	A	S	S	W	O	R	D	S	

398

	A	N	N	O	Y	A	N	C	E	
	I		O		B		L		O	W
N	U	D	G	E		M	O	N	T	H
C			Y			S		C		I
L	O	C	K	E	D		W	E	A	R
U		O		D		F		R		L
S	U	M	P		M	I	N	N	O	W
I		P		F		S				I
V	I	L	L	A		H	U	M	A	N
E		E		I		E		M		D
	E	X	P	R	E	S	S	E	S	

399

P	S	Y	C	H	E	D	E	L	I	C
R		E		O		R		A		O
O	V	A		S	C	O	R	P	I	O
S		R		T		V				R
P	U	N	K		W	E	D	D	E	D
E		E		G		R		O		I
C	U	D	D	L	Y		G	L	E	N
T				I		A		P		A
I	N	S	I	D	E	R		H	I	T
V		I		E		E		I		E
E	N	T	E	R	T	A	I	N	E	D

400

	G		D		T	R	E	E	S	
C	H	E	E	T	A	H		A		U
	E		A		R	A	V	E	D	
S	T	U	D	S		A		E		S
	T		S		U	S	B			
H	O	N	E	Y		H	E	A	R	S
			T	I	P		S		E	
A		N		E		W	I	L	L	S
G	R	A	I	L			D		I	
E		G		D	E	L	E	T	E	S
S	E	A	T	S			S		D	

Solutions

401

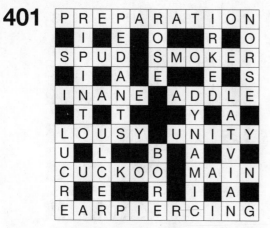

P	R	E	P	A	R	A	T	I	O	N
	I		E		O		R		O	
S	P	U	D		S	M	O	K	E	R
	I		A		E		E		S	
I	N	A	N	E		A	D	D	L	E
	T		T				Y		A	
L	O	U	S	Y		U	N	I	T	Y
U		L		B		A		V		
C	U	C	K	O	O		M	A	I	N
R		E		R		I		A		
E	A	R	P	I	E	R	C	I	N	G

402

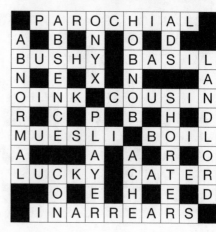

A		C		H		S		S		A
C	O	R	R	E	C	T	I	O	N	S
C		O		X		I		N		Y
E	X	C	L	A	I	M		A	R	M
L		D		U		T			M	
E	L	O	P	E		L	E	A	V	E
R		C		C		A				T
A	R	C		I	N	T	E	G	E	R
T		U		M		I		O		I
E	X	P	L	A	I	N	A	B	L	E
D		Y		L		G		Y		S

403

V	A	R	I	E	D		S	U	M	S
E		E		I		W		A		
N	U	R	S	E	S		E	A	R	S
O		U		T		A		T		
M	A	N	G	E	R		T	R	I	M
	S		E		A		E		A	
M	O	N	O		C	O	D	I	N	G
	C		L		T		R		E	
M	I	R	O		I	M	P	O	R	T
	A		G		N		N		U	
S	L	A	Y		G	O	S	S	I	P

404

	P	A	R	O	C	H	I	A	L	
A		B		N		O		D		
B	U	S	H	Y		B	A	S	I	L
N		E		X		N				A
O	I	N	K		C	O	U	S	I	N
R		C		P		B		H		D
M	U	E	S	L	I		B	O	I	L
A				A		A		R		O
L	U	C	K	Y		C	A	T	E	R
		O		E		H		E		D
	I	N	A	R	R	E	A	R	S	